D0892722

Du même auteur
aux Éditions Trois-Pistoles

*Bénédict Fiset, forgeron, enchanteur
et sorcier merveilleux*

ÉCRIRE
écrire
LES MOTS SUSPENDUS AUX LÈVRES DU TEMPS

Dans la même collection

Ce qu'il nous reste de liberté
Noël Audet

En toute liberté
François Barcelo

De Race de monde
au Bleu du ciel
Victor-Lévy Beaulieu

Des lettres et des saisons
Lise Bissonnette

Des rencontres humaines
Marie-Claire Blais

Des grains de sel
Dominique Blondeau

L'horizon du fragment
Nicole Brossard

La chambre des lucidités
Gaétan Brulotte

Caricature et bande dessinée: l'image du réel
André-Philippe Côté

Pour et parce que
Hugues Corriveau

Entre la lettre et l'esprit
Raôul Duguay

Le plus vieux métier du monde
Guy Fournier

Travaux publics
Lucien Francœur

A contrario
Daniel Gagnon

Mémoires d'enfance
Madeleine Gagnon

Mais z'encore?
Gabrielle Gourdeau

Amours, délices et orgasmes
Lili Gulliver, Diane Boissonneault

En 13 points Garamond
Jacques Hébert

Dis-moi ce que tu trouves beau
Philippe Haeck

Comment pourquoi
Suzanne Jacob

Pour l'argent et la gloire
Claude Jasmin

Les chemins de l'écriture
Bertrand B. Leblanc

Mille raisons
Raymond Lévesque

Le rêve de la réalité
La réalité du rêve
Renaud Longchamps

Matériaux mixtes
Paul Chanel Malenfant

Origines
Christian Mistral

Souffleur de mots
Yvon Paré

Pour inquiéter et pour construire
Jean-Jacques Pelletier

Dans un pays colonisé
Ginette Pelland

Prendre langue
Sylvain Rivière

Consigner ma naissance
Bruno Roy

JEAN FERGUSON

Écrire

LES MOTS SUSPENDUS AUX LÈVRES DU TEMPS

ÉDITIONS TROIS-PISTOLES

Éditions Trois-Pistoles
31, Route Nationale Est
Paroisse Notre-Dame-des-Neiges (Québec)
G0L 4K0
Téléphone: 418-851-8888
Télécopieur: 418-851-8888
C. élect.: ecrivain@quebectel.com

Révision: Victor-Lévy Beaulieu
Infographie et couverture : Roger Des Roches
Photo de la couverture : Collection Jean Ferguson

Les Éditions Trois-Pistoles bénéficient des programmes d'aide à la publication du Conseil des Arts du Canada, du ministère du Patrimoine (PADIÉ), de la Société de développement des entreprises culturelles du Québec (SODEC) et du programme de crédit d'impôt pour l'édition de livres du gouvernement du Québec (gestion Sodec).

En Europe (comptoir de ventes)
Librairie du Québec
30, rue Gay Lussac
75005 Paris, France
Téléphone: 43 54 49 02
Télécopieur: 43 54 39 15

ISBN 2-89583-086-X
Dépôt légal: Bibliothèque nationale du Québec, 2005
Dépôt légal: Bibliothèque nationale du Canada, 2005

À ma tante Margot
qui me raconta
si bien l'enfance
du temps passé.

Il n'y a rien de plus valorisant que les mots :
ils sont comme un entrelacement de babiches
pour l'esprit et, pour cette raison,
ils deviennent des raquettes pour
entreprendre de longues marches
dans le chemin difficile
de la compréhension entre les êtres.
Et lorsque l'on prétend que nous ne parlons
pas beaucoup, nous, les Indiens, il faut
répondre que nous savons la valeur des mots.

William Pateusham,
Mi'kmaq listugujien

I

La reine I majuscule

La poésie, c'est d'accepter que
les oiseaux parlent aux fleurs.

Les mots sont de petites lumières peintes souvent dans la tendresse et qui brillent au fond des êtres... Du moins, c'est comme ça que je les voyais quand j'étais enfant. Et que je vivais avec mon grand-père, ma grand-mère, ma famille et surtout ma petite sœur, la dernière. Il n'y avait jamais de gros mots dans la maison, mais de petits mots tout en finesse et en douceur. Encore faut-il les utiliser correctement, car il y a des mots de langue et il y a des mots d'esprit. La distinction n'est pas aussi subtile que ça : les mots de langue, ce sont ceux que l'ont dit sans y faire attention, au sujet de la température par exemple. Les mots d'esprit, ce sont ceux-là qui expriment un sentiment, une façon d'être.

Voilà ce que j'ai compris en observant Petite Âme, ma sœur, ma petite sœur.

À cause d'elle sûrement, j'ai saisi la beauté des mots bien jeune. Il est vrai que, dans le monde listugujien, on n'élève pas la voix. On aime la bienveillance et, pour cette raison, on hésite avant de parler et parfois on se tait plus souvent qu'autrement. On nous a dit proches de l'oral et loin de l'écriture, mais tant d'écorces de bouleaux ont chanté pour nous dans le vent et qu'est-ce qu'il y avait d'écrit dessus ?

Les mots sont frères de l'écriture. J'avais sept ans, je crois, et je n'avais pas encore mis le pied dans une école. Dans ce temps-là, on commençait l'école quand ça nous chantait ou plutôt quand ça chantait à nos parents.

Grand-mère Ferguson, surnommée Bonne Âme, la généreuse, m'avait adopté. Ma mère avait quitté ce monde, laissant derrière ses enfants. Mon père Robert-Daniel travaillait là-bas derrière les montagnes pour l'International Paper, une compagnie américaine qui faisait couper les sapins des forêts, qu'elle expédiait ensuite au moulin pour en faire du papier destiné à imprimer des journaux aux États-Unis.

Il fallait bien que quelqu'un nous garde mes sœurs, mes frères, ma petite sœur et moi, six en tout. J'étais l'aîné, les autres venaient après moi.

Aller à l'école ? C'était l'inconnu. Et on avait peur, car on savait que c'était la privation de la liberté d'une certaine façon. C'est pourquoi on n'était pas pressés d'y aller. Il y avait aussi une certaine crainte de rencontrer tous ces enfants si différents de nous, car l'école étant petite, nous étions mélangés, Blancs comme Mi'kmaqs. D'ailleurs, l'école était trop loin. Si nous étions demeurés dans le *flat* de la Ristigouche, près du village et de la rivière aux saumons, alors ça n'aurait pas été un problème, mais nous nous étions installés en plein bois, au bout d'un rang. Le gouvernement donnait des terres à défricher et mes grands-parents en avaient pris une, mais éloignée du grand chemin. Alors l'école neuve était à un bon deux kilomètres et demi. Sur des routes de boue avec des côtes longues à monter et longues à descendre.

Le soir tombait et seule la lampe Aladin diffusait sa lumière parcimonieuse dans la cuisine. C'était avant l'électricité qui a fait des soleils avec ses globes de verre. Je m'assoyais à table et je regardais Agate Bonne Âme jouer aux cartes, à la patience, ou ravaudant une paire de bas sans orteils, trop usés qu'ils étaient par les longues marches en raquettes de grand-père. C'était le silence complet et un filet de bonheur passait entre nous, tout doucement.

À l'autre bout de la table, sur un morceau de papier blanc ramassé Dieu sait où, grand-père William Ferguson, surnommé Le Priant parce qu'il aimait prier naturellement. Avec un crayon HB, au plomb, comme on disait alors, il traçait avec minutie un *R* en gothique, presque plus parfait qu'un caractère d'imprimerie. Du moins, je le croyais alors. Il copiait en l'arrangeant la majuscule qui commençait un texte dans une revue américaine que le boss de l'Atlantic Trading lui donnait. Grand-père allongeait la jambe du *R*, tout doucement, lui faisait des rondes parfaites avec tant d'intensité que j'en étais plein d'admiration. Il donnait une personnalité à sa lettre, il la rendait presque vivante. Mon grand-père, à force de fréquenter les Mi'kmaqs dans sa jeunesse, avait développé cette manie de copier des lettres. Il dessinait bien autre chose et avec un admirable talent, mais c'étaient les lettres qu'il faisait le mieux, dépassant en perfection les caractères qu'il copiait, et de beaucoup, car il leur donnait de la personnalité. Mon grand-père avait aussi une autre marotte : il aimait raconter *Alice au pays des merveilles*, un livre qu'il avait acheté pour ma tante Margot, sa fille ; celle-ci, ayant dépassé la vingtaine, avait quitté pour la grande ville de Montréal, laissant derrière elle l'ennui profond de ceux qui sont partis au loin. Ça fait partie des injustices de la vie, disait Bonne Âme avec un pli au front. Aux dernières nouvelles, elle travaillait chez Eaton, au cinquième étage, dans les rayons des chaussures. Elle avait laissé

Alice à la maison de ses parents parce que c'était un très bel ouvrage, écrit en caractères gras et merveilleusement lisibles, merveilleusement illustré, pour mon grand-père dont la vue baissait. Elle savait combien il aimait ce livre. Dans les marges, il reprenait des lettres pour se faire la main. Dans ce temps-là, les livres servaient plusieurs fois. Il y en avait si peu à lire. On les reconstruisait.

J'étais derrière son dos et je l'admirais, poussant dans ma tête le crayon avec lui et effaçant les dépassements involontaires.

— Pourquoi, grand-père, tu dessines une lettre qui est déjà imprimée ailleurs?

Ma curiosité le faisait sourire.

— Parce que, Petit Renard curieux, la main de l'homme fait les choses plus parfaitement que la machine... Tu l'apprendras en vieillissant.

Puis, il me regardait avec attention pour deviner ce qu'allaient produire sur mon esprit les paroles qu'il venait d'émettre. En même temps, il allumait sa pipe avec un brandon qu'il tirait des cendres du vieux poêle avec de longues pinces, puis revenait s'asseoir.

— John, le plus beau geste qu'un homme peut faire, et surtout un fils de la Création, c'est d'écrire une lettre. Nous autres, les pauvres, on nous prend pour des ignorants, mais nous cachons bien notre jeu. Fils de la Terre, notre geste le plus noble, le plus important, c'est d'écrire une lettre, puis deux, puis trois jusqu'aux mots et personne autour de nous ne s'en doute. Imagine quelle peut en être l'origine. Ce n'est pas nous qui avons inventé les lettres, elles sont venues de loin et, de génération en génération, nous les avons perfectionnées. J'irais jusqu'à dire que nous avons respiré les mots de l'haleine de nos ancêtres. Bien sûr, ils n'ont pas tous appris à écrire, ce n'était pas dans les mœurs... mais il y avait toujours quelqu'un dans la famille qui écrivait et ça depuis que les missionnaires nous ont montré à lire. Regarde dans le dictionnaire le souffle des mots: *R* donne, par exemple, ruisseau, rivière, rêve, ramasser les fruits, et combien d'autres. Il ne faut pas mépriser l'écriture: elle est la perle découverte et placée sur le velours des esprits, retranscrite indéfiniment par les gens de toutes conditions et de toutes les langues; ils méritent respect. Les langues importent peu, c'est la façon dont on prononce leurs mots qui est importante. Tu ne peux savoir l'infinie diversité d'une lettre comme le *R* qui a donné naissance à une flopée de termes. Tu peux comprendre alors comme le mot *rivière* s'applique à tant de cours d'eau, si différents, sous tant de cieux que c'en est miraculeux.

Je crois que, malgré mon jeune âge, j'eus l'intuition de la richesse des mots que forment les lettres en écoutant parler mon grand-père.

À quelques semaines de là, je demandai comme cadeau un dictionnaire. Je le reçus aussitôt, car grand-mère aimait les gens instruits, et où, ailleurs que dans les dictionnaires, un jeune homme pouvait-il s'instruire? Elle avait eu sept garçons et trois filles et les avait tous instruits. Évidemment, la paroisse de Sainte-Anne-de-Ristigouche avait vu s'ériger un monastère de Capucins pour desservir les fidèles évangélisés depuis des lustres par les premiers missionnaires qui avaient mis les pieds sur les rivages de la Gaspésie. Il y avait justement, accolée au monastère, une petite librairie où les pères vendaient des dictionnaires, ces quelques sous leur permettant de survivre. Ils vendaient aussi des livres pour enfants et adolescents : des livres d'aventures et de piété. Des livres naturellement à la moralité irréprochable.

Dans mon enfance, ce n'était pas dans les mœurs de s'instruire. Nous étions une famille à part peut-être. Je ne sais pas. Il y en avait quelques-unes comme ça. Nous étions curieux sans doute et lire était une espèce de libération. Et que lisions-nous ? Les Pères capucins — un ordre religieux fondé par saint François d'Assise —, grâce à leur petite librairie, nous procuraient chaque mois une revue en papier lisse et brillant d'une bonne centaine de pages : l'*Almanach de saint François*, qui venait, tenez-vous bien, de France. C'était plein de petits contes moralisateurs et catholiques, fort bien écrits d'ailleurs, de petites histoires qui parlaient des cloches de Pâques, des anges et tout ça. Mon souvenir est précis. Il y avait de beaux récits imaginaires et des poèmes, avec de jolis dessins en filigrane. Et des images surtout. Je voulais comprendre les histoires et quel meilleur moyen que d'apprendre des mots dans le dictionnaire pour arriver un jour à discerner le mystère de ces narrations? D'abord, je fus stupéfait de constater combien je ne comprenais pas les mots malgré ma bonne volonté, même ceux qui commençaient par *R*. Alors, j'allais voir grand-mère et je lui demandais la signification de chacun. Avec une patience admirable, elle me les expliquait; me faisant épeler à l'occasion ceux-là qui n'étaient pas trop difficiles de compréhension pour un enfant de sept ans. Je m'endormais sur le bras de sa chaise et je sombrais dans le paradis, où flottaient des anges lettrés: ils portaient entre leurs ailes des lettres ou des mots qui m'avaient particulièrement plu. Je compris alors que le paradis avait été institué pour les enfants qui voulaient comprendre que toute chose est constituée de lettres: merveilleuse découverte.

Un jour, mon grand-père se mit à chacoter dans une grande planche de bardeau de cèdre. Il me sembla qu'il traçait des lettres puis, un bon matin, il me remit le fruit de son travail. Avec un art consommé, il avait sculpté, avec son vieux couteau de poche, dans l'abri accolé à la maison pour y mettre le bois de chauffage, les lettres de mon nom : J-O-H-N. Je fus touché, surtout qu'il m'apprit comment les prononcer. Tout mon être était contenu dans quatre lettres grâce au talent secret de mon grand-père. Il ne s'arrêta pas là. Un matin d'automne, ayant pris une belette, il recouvrit de sa peau, qu'il avait pris soin de faire sécher et de rendre souple par un moyen connu de lui seul, les lettres de mon nom et les composa comme un tableau, qu'il m'aida à accrocher au mur de ma chambre. J'étais d'autant plus fier que j'avais vu que le cardinal Villeneuve portait une chlamyde en peaux d'hermines, surtout quand il était assis sur son trône cardinaliste dans la lointaine ville de Québec. C'était un haut personnage dans la hiérarchie catholique, il venait tout de suite après le pape, m'avait confié ma grand-mère. Et c'étaient des Mi'kmaqs qui avaient fourni les peaux de belettes qu'ils avaient trappées eux-mêmes pour confectionner ce vêtement d'apparat. C'était tout un honneur.

À partir de ce jour, je fus un enfant constamment en alerte. Je me faisais épeler chaque mot. Je voulais qu'on me nomme chaque chose au moyen des lettres. Puis, je me mis à l'alphabet: *a... b... c...* etc. Chaque fois que je prononçais une lettre et que je la savais par cœur, j'en éprouvais une volupté étrange, une fierté formidable.

Je n'allais pas à encore à l'école pour autant.

Au début de septembre, j'avais sept ans et quelques mois, arriva un personnage, tout de noir vêtu, à l'air sévère comme un hibou, nommé commissaire d'école, qui transmit l'ordre du gouvernement: tout enfant ayant atteint l'âge de sept ans devait se présenter à l'école. Il fallait, tout orphelin que je fus, obéir aux diktats du ministère de l'Éducation: je devais entrer à l'école. Mon premier sentiment fut celui de la crainte: tous ces visages étrangers, tous ces enfants à rencontrer, si différents de moi. D'un autre côté, c'était un sentiment de joie et de plaisir : j'allais apprendre à lire et à écrire. Je pris donc le chemin de l'édifice du savoir. Heureusement, j'y retrouvai des connaissances, les Métalik, les Labillois, les Gray et d'autres aussi. Ils venaient tous de grandes familles, six enfants et plus. Nous étions une trentaine, nous étions pauvres et nos vêtements, même les plus propres, n'étaient pas aussi beaux que ceux des écoliers de la ville de Campbellton, située de l'autre côté de la rivière Ristigouche, où mon père nous amenait quelquefois voir des films au cinéma.

La maîtresse, une vieille dame, fut abasourdie de constater que j'étais le seul à connaître toutes les lettres de l'alphabet. Elle me demanda d'épeler mon nom. Ce n'était pas courant. À partir de cet instant, elle me prit aussitôt en grippe parce que j'étais le meilleur de la classe, et elle n'avait rien à me montrer. Comme je ne parlais pas beaucoup, elle put facilement faire oublier ma science. Comme elle ne s'occupait pas de moi, je lisais le dictionnaire, dont elle me priva aussitôt en disant :

— Les dictionnaires sont trop précieux pour vous autres : vous avez les doigts gras, car vous n'avez pas appris, comme les enfants bien élevés, à vous laver les mains et à vous épouiller. Il faut les faire durer, les dictionnaires, car nous n'en avons que quelques-uns.

Elle les prit et les mit sous clé dans la petite bibliothèque de la classe. Nous ne pouvions nous en servir que le vendredi après-midi pour la dictée. Je n'osais pas emmener le mien, celui que j'avais à la maison, de crainte de me le voir confisquer lui aussi.

Ce n'était pas une méchante femme, mais elle avait des préjugés. Elle ne cherchait pas à faire des savants avec notre classe d'enfants de tous les âges, elle voulait nous apprendre à écrire, mais en passant par elle, pas par les livres.

Ah, oui, il y avait des poux dans la classe et c'était nous qui les donnions. Les Leblanc, les Poirier, le Caissy, des rangs cinq et six, poignaient nos poux. J'en vins à considérer ces petites bêtes comme des amies. La maîtresse, excédée par cette invasion du début de l'année, nous épouilla à l'huile de charbon chaude, ce qu'elle ne faisait pas pour les enfants bien nantis. Eux, c'étaient leurs parents qui les épouillaient, avec des liquides parfumés. Ils étaient civilisés, pas nous.

Je fis une chose que je n'aurais jamais dû faire. Un bon matin, je m'amenai à l'école avec mon tableau des lettres de mon nom en peau de belette que m'avait confectionné mon grand-père. Je déclenchai les rires et la maîtresse, femme de principes, s'empressa de le jeter à la poubelle en grommelant :

— Vous pouvez bien être toujours pleins de poux, c'est dans la fourrure des animaux que vous les prenez, bande de petits sauvages ! Avec tout ce que l'on trouve aujourd'hui dans les magasins, vous n'avez plus besoin d'aller trapper les animaux. Mais vous autres, les sauvages, vous avez des idées bien à vous !

Heureusement, je pus retenir mon humiliation et mes larmes, malgré la grandeur de cette insulte pour la capacité de mon cœur d'enfant. Il fallut que j'attende que la classe finisse pour récupérer mon tableau pendant que la maîtresse avait le dos tourné. Il avait souffert d'un tel traitement, mais grand-père, avec une colle qu'il confectionnait à partir de rognures de sabot de cheval, reprit le tableau jusqu'au point où on ne s'apercevait plus de rien. Ainsi, il reprit sa place au mur pour ma plus grande satisfaction. Pourtant, je gardais au cœur une peine profonde. Je ne pouvais comprendre qu'un si bel objet d'art ait été le centre de tant de mépris. Les autres enfants me nommèrent à partir de ce jour Johnny Miforlo. Je crois que c'était une chanson d'une chanteuse très populaire, La Bolduc, qui racontait que Johnny Miforlo avait harnaché un pou et en avait fait un cheval. Ça n'avait pas de bon sens et je ne compris jamais le sens de tout ceci. De toute façon, ces quatre lettres étaient miennes et, comme je les avais reçues en cadeau, j'en étais très fier et je me promis de ne jamais amener à l'école des choses qui ne concernaient que nous, les peaux cuivrées par le soleil des vacances et de la liberté.

J'étais heureux chez mes grands-parents. Mon plus profond regret, ce fut que ma mère soit partie si vite avant que j'aie pu lui apprendre les lettres de mon nom. Ma mère aurait-elle compris ? Elle ne savait pas lire le français, ni l'anglais, encore moins le mi'kmaq parce que… mais c'est une trop longue histoire pour la raconter ici. Elle était supposée être née là-haut dans la montagne du côté de Kedjiwick, pays mi'kmaq. Tout en ne sachant pas lire, elle m'avait appris à cueillir les fruits de la forêt, à trapper le lièvre au collet, à prendre la perdrix et à en faire un mets délicieux sous les cendres. Ce sont les autres qui lui avaient appris tout ça parce que, avant son mariage avec mon père, elle ne connaissait rien de ces actions si ordinaires. Toutefois, personne mieux qu'elle ne pouvait élever des poulets et prendre soin des poules pondeuses.

Elle était jeune et tout le contraire de mes grands-parents, qui, eux, avaient appris à lire avec les révérendes mères du Saint-Rosaire de la mission de Ristigouche. Je vis souvent ma mère ouvrir le journal *Le Soleil* que mon père avait laissé sur la table. Elle essayait de comprendre ces lignes mystérieuses constituées de lettres et de mots en français. Elle cherchait à deviner les mots quand on ne la regardait pas, probablement pour imiter mon grand-père, mais vite lassée, elle abandonnait. Elle avait, j'en suis sûr maintenant, des regrets de ne pas savoir ce que racontaient les pages du journal. Elle demandait parfois à ma grand-mère ce qu'il y avait d'écrit, mais celle-ci répondait, elle aussi avec un certain regret dans la voix:

— Ah, ma pauvre Élise, je voudrais pouvoir t'apprendre à lire et à écrire en français, mais tu es trop âgée maintenant… Tu perdrais ton temps.

Je compris qu'il fallait être jeune pour comprendre le sens des lettres, des mots et des phrases comme on l'a si bien dit: « Nous sommes les enfants d'une langue. C'est cette identité que je revendique. J'écris pour convaincre les mots de m'adopter. » C'était dans l'ordre des choses. Pour ma mère, chaque mot était donc toujours demeuré un mystère. Je suppose que ma grand-mère n'avait pas cru nécessaire de lui apprendre notre langage de peur qu'elle ne néglige son travail journalier, ou bien pour une autre raison que j'ai su plus tard.

Un jour d'avril, elle quitta Mère-Terre, un jour éblouissant de soleil. Ce qui me frappa surtout, c'est que dans son tombeau elle avait fière allure même si le satin détonnait un peu dans cette boîte de bois peinte en vernis lustré. Je fus surpris qu'on l'entourât ainsi d'un tissu aussi riche, elle qui n'avait porté toute sa vie que des robes d'indienne ou de taffetas. Elle avait un petit sourire de triomphe, et j'imaginais que les anges lui montraient ses lettres à elle aussi. Dans le ciel, la lecture est une joie et les lettres parlent et dansent pour rendre les choses plus agréables. Elles sont faciles à lire puisqu'elles sont toutes dorées. On doit adorer Dieu, et ensuite, par science infuse, on est instruit, m'avait raconté Marc Bérubé, un garçon de onze ans pieux, mais bête comme dix pékans. Cependant, on pouvait le croire, il était premier en catéchisme. Et il nous affirmait, la main sur l'évangile, que Dieu, c'était un personnage important parce qu'il y avait quatre lettres dans son nom et pas n'importe quelles lettres ! Une du début de l'alphabet et une autre à la toute fin. Je crus que c'était parce que Dieu voulait avoir le dessus sur tous les autres noms, mais je me repris tout de suite, ayant peur d'avoir commis un blasphème en pensant ainsi.

Mes grands-parents avec l'accord de mon père, après le départ de ma mère, me prirent chez eux avec le petit voisin, Réal Gray, un métis dont le père était contracteur forestier, donc assez riche pour envoyer son fils à l'école des sœurs. Comme il allait sur ses onze ans, il savait écrire. C'était un garçon délicat et c'est lui qui m'apprit à tracer des lettres dans le sable ou sur les planches de la vieille grange avec un bout de craie dérobé à l'école. C'était notre jeu pendant que les autres se battaient avec un vieux ballon prêté par l'institutrice. Ma grand-mère nous surprit dans ce travail un après-midi alors que nous étions sur le sable au bord de la rivière et elle me renseigna :

— Tu sais, John, j'ai lu quelque part qu'au Moyen Âge on n'apprenait pas aux filles à écrire mais que certaines étaient si futées qu'elles demandaient à leurs frères, qui avaient le droit de s'instruire, d'écrire les lettres dans le sable et si quelqu'un arrivait, elles les effaçaient prestement du bout du pied pour ne pas se faire punir.

— On punissait les gens qui voulaient s'instruire?

— Les filles seulement.

Je fis remarquer à ma grand-mère que les femmes avaient toujours été astucieuses, ce qui la fit bien rire. Je n'avais pas de mérite de penser ainsi. Ma tante Margot l'avait déjà répété devant moi.

Ma mère, avant de partir pour le pays des étoiles, nous avait laissé un merveilleux présent: ma petite sœur Irène. Je la vis arriver dans les bras de ma grand-mère. Elle était allée la chercher à l'hôpital et l'avait ramenée à la maison. Elle l'installa aussitôt dans un panier près du poêle et nous défendit d'y toucher avant qu'elle n'ait atteint l'âge de dix mois. Placée dans son petit berceau en osier, entourée de sa couverture rose, Irène, le bébé, souriait et tendait ses petites mains vers nous. J'aurais bien voulu la prendre dans mes bras, mais l'interdit de grand-mère m'en empêchait. On aurait pu l'échapper et elle se serait fait du mal en tombant. Je demandai à mon grand-père comment ça s'écrivait, Irène. Il sortit son couteau de poche, attrapa une planchette de sapin et se mit à tracer les lettres dans le bois mou. Chacune des lettres prit une bonne soirée, car grand-père était soigneux, et je commençais à perdre patience lorsque, enfin, je pus voir le résultat de son travail. Je vis, bien tracés, presque gothiques, les cinq caractères. Je sus très rapidement les distinguer. « Pourquoi ces lettres et pas d'autres? » demandai-je naïvement.

Ma grand-mère eut un sourire malicieux:

— Oh ça, me raconta-t-elle, c'est à cause d'une reine qui s'appelait I Majuscule, et la reine I trouvait agaçant son nom de I reine Majuscule, c'est pourquoi elle ordonna qu'on l'appelle tout simplement I Reine. C'est alors qu'un vieux familier suggéra de l'écrire en un seul mot: Irène. En un seul mot, c'était plus facile. Et crois-moi, John, c'est une histoire vraie. Cette reine a vécu dans la plus petite partie de la Suède, je crois. Même, je suis presque sûre que c'est elle qui fut la reine chez les Lapons.

Comme notre Irène à nous recevait à sa cour près de son berceau, à la chaleur, je pensait qu'elle était le plus important personnage du monde, bien avant le cardinal Villeneuve. Ma petite sœur était un présent. Et d'où viennent les présents? Du père Noël, naturellement. Et où habite le père Noël? En Laponie pour les uns, au pôle Nord pour les autres, ce qui revient au même.

Toujours est-il que j'atteignis l'âge de neuf ans et que, toujours aussi amoureux des lettres, je voulus raconter l'histoire véritable de ma petite sœur Irène. On n'écrit pas l'histoire d'une petite fille considérée royale comme on écrit une autre histoire. J'avais appris à aimer les lettres et à les bien tracer comme mon grand-père me l'avait montré. Il me restait à découvrir les phrases, ce qui ne fut pas difficile. Il était une fois… une reine au berceau gardée par une vieille grand-mère de fée… Mais voilà, c'était une fée bonne qui m'apprit que le sourire d'une petite reine de fille prend toujours deux *r*.

Grand-mère ainsi continuait de m'apprendre à écrire. Je ne m'intéressais plus aux lettres sculptées dans une latte de bois. Je voulais écrire l'histoire de la reine I Majuscule. Comme elle était encore à l'époque des gazouillis, elle ne m'apprit pas grand-chose. Je dus donc tout inventer, tout imaginer. Ce fut facile, j'avais un don.

Je me tenais en tapinois sur une chaise devant le petit ber à la chaleur du gros poêle, le crayon à la main ou à la bouche selon que j'écrivais ou que je réfléchissais. On aurait dit que rien ne venait. La plume d'esprit me manquait pour l'écrire, cette histoire. Puis, un bon matin, tout démarra. Je crois que c'était à l'époque des premières dents, j'eus comme une inspiration: «… Il était une fois… » Il est évident que je commençais à coucher sur les feuilles l'unique et nécessaire histoire d'un ange tombé sur Terre.

« Il était une fois une reine si petite que même la chatte Caboche dans la maison la dépassait d'une tête… » Et je n'arrêtais plus de faire courir la plume sur les lignes. J'avais une certaine volupté à écrire chaque mot et à inventer mes phrases. Je prenais mon temps. Le dictionnaire me servait beaucoup. C'est lui qui m'apprit des nouveaux mots, et j'étais agacé par les fautes que je faisais et que m'indiquait ma grand-mère. Il me fallait tout recommencer sur une nouvelle feuille de cahier. J'appris que les êtres humains ont une bouche et les animaux, du moins quelques-uns, des babines.

J'étais souvent au chevet de bébé Irène. Je la regardais dormir les petits poings serrés. Si elle avait la coqueluche, je l'attrapais immanquablement. Variole et rougeole y passèrent aussi. C'étaient surtout de nouveaux mots dans mon vocabulaire.

Puis, un matin, j'ai enfin terminé son histoire. Je reliai les feuilles avec une ficelle passée dans les trous que j'avais faits avec l'alène dont mon grand-père se servait pour relier les peaux ensemble avant d'aller les vendre. Ensuite, je pris une boîte vide de Corn Flakes et je la tournai à l'envers pour faire la couverture. J'avais une peur bleue de manquer mon coup en traçant les lettres du titre: des boîtes de Corn Flakes vides, ça ne pleuvait pas chez nous. Mais je réussis finalement: *Histoire de la reine I Majuscule, bébé Ferguson*, par John.

Peu de temps après cette réussite dans le pays des mots et des phrases, la petite Irène devint un vieux bébé et nous avons pu la prendre dans nos bras sans qu'il y ait de danger de la casser. Je ne sais pas ce qu'est devenu le cahier de sa petite biographie. Je me souviens seulement que ma grand-mère qui était très fière de mon travail le montrait à tous les visiteurs. Pendant ce temps, j'en profitais pour apprendre à Irène des mots et, si elle les prononçait mal, c'est à moi qu'elle le dut probablement… On a beau faire attention, la perfection n'est pas de ce monde.

2

LES INDIENS

Si la forêt est un royaume,
n'en cherchons pas les frontières.

Ses origines
Sa rencontre de ses parents
Sa naissance
La mort de sa mère

J'ai été tellement heureux de naître sur les bords de la Ristigouche qu'aucun bonheur ne pourrait égaler cet événement. Encore faut-il bien situer cette rivière aux saumons. Gaspésienne, elle se déverse dans la baie des Chaleurs à Matapédia, à l'extrémité de la vallée du même nom, au Québec. D'après les chercheurs, dont le père Lacombe, O.M.I., Ristigouche signifierait «petits arbres, petit bois». Ristigouche n'est pas un mot indien, il a été déformé par les Blancs, car il n'y a pas de *R* dans les substantifs indiens, il faut plutôt la nommer, cette rivière, Listuguj, composée de deux mots mi'kmaqs: *listo* et *gotjg* qui voudrait dire «Désobéis à ton père», un cri de guerre du chef mi'kmaq Tonel contre des Iroquois venus pour exterminer son peuple. Mon grand-père m'a toujours dit que Listuguj voulait dire « là où miroitent les eaux », ce qui aurait plus de bon sens, car il s'agit de regarder le cours d'eau par une belle journée d'été traversé de rayons. Dans le bleu liquide, on distingue la lumière toute pailletée d'éclats de miroir.

J'ai toujours dit que c'était la rivière qui ne craignait pas les coups de soleil parce que je n'ai jamais vu ou entendu dire qu'un natif de l'endroit en ait jamais subi, sauf s'il était blanc.

Mon pays de la Listuguj est un rêve bleu à travers une mer d'histoires.

Et Dieu sait qu'il y en a des histoires puisque c'est le principal lieu d'habitation du peuple mi'kmaq de la Gaspésie. Hommes et femmes fiers, ils ont donné une grandeur à ce pays de montagnes. Je me souviens d'avoir été, en automne, avec mon grand-père toujours, chercher de la viande pour l'hiver. C'était du chevreuil. Je me souviens du goût de la truite que nous pêchions dans les petits ruisseaux. Cette seule pensée me fait regretter de ne pas y avoir passé ma vie. Mais comme l'a si bien écrit Victor-Lévy

Beaulieu: « C'est lorsque nous avons inventé nos propres bateaux que nous avons pu prendre le fleuve. » Il m'a fallu partir pour le descendre, ce fleuve Saint-Laurent, me rendre jusqu'à Montréal et de là me disperser dans tout ce pays intense comme nos amours.

J'aurais beau parler du pays de Listuguj, je n'en dirais jamais assez et j'égarerais mon monde dans des chemins indécis. Aussi vaut-il mieux vous raconter quelque chose de là-bas qui vous le rendra moins étranger et qui me concerne.

Listuguj. Naître à cet endroit fut pour moi un avantage certain, car il y a tant de choses agréables sur ce coin de terre qu'on ne saurait les énumérer toutes. Elles sont là dans la mémoire du cœur.

Je dus ce bonheur au fait que mes grands-parents avaient du métis et qu'ils étaient très proches des Mi'kmaqs. Ma grand-mère, par exemple, assistait toutes les femmes pour les accouchements. On la nommait pour cette raison précise Bonne Âme. Quant à mes parents, ils ne demeuraient pas à Ristigouche, ils habitaient un village de l'intérieur nommé

Les-Stigmates-de-Saint-François-d'Assise-de-l'Alverne. Je garde une idée confuse de ce coin de pays. Il semble qu'il se soit réfugié dans l'ombre et, parfois, j'ai peine à m'en souvenir. Je le rejette peut-être pour des raisons que vous allez comprendre.

Avant ma naissance, cette paroisse de la Gaspésie avait été fondée par un religieux français, le père Pacifique de Valiquy. Ce religieux capucin avait une grande renommée, et ma grand-mère surtout appréciait ce prêtre venu des vieux pays. Il se dévouait beaucoup pour les Mi'kmaqs, dont il parlait et écrivait la langue. C'était, en définitive, un mystique, un ascète, un mortifié qui n'hésitait pas à porter des sandales en novembre alors que la glace avait déjà saisi les flaques d'eau boueuses sur les chemins de terre. Le père de Valiquy érigeait des paroisses autour de Ristigouche qu'il appelait des missions. Il faisait venir des habitants d'autres coins du Québec pour la colonisation.

Les-Stigmates-de-Saint-François-d'Assise-de-l'Alverne était décidément trop long à écrire pour ces gens de peu d'instruction, c'est pourquoi on l'abrégea en L'Alverne tout simplement.

Mon père était un homme beau et grand, avec des traits typiquement indiens. Il avait la parole rare, peut-être parce qu'il se sentait à l'étroit entre les deux mondes: celui des Mi'kmaqs et celui des colons blancs. Il avait quitté la réserve très jeune pour aller travailler un peu partout, jusqu'à l'île d'Anticosti puisqu'il s'était engagé comme marin sur un navire de marchandises. Intelligent, avec l'aide de ses parents, il avait appris à lire et à écrire sans aller à l'école, ce qui était tout un exploit. Il s'appelait Robert-Daniel Ferguson. Ferguson vient du gaélique et signifie «fils de l'homme», expression évangélique dont Jésus se désignait en disant: «Je suis le fils de l'homme», probablement pour exprimer son lien avec le monde charnel.

Mon père parlait l'anglais et le français avec assez de facilité. Il connaissait la langue mi'kmaque. Quand je suis né, il allait sur ses trente-neuf ans et il occupait le poste de commis pour l'International Paper, une grosse compagnie d'origine américaine qui se spécialisait dans la coupe du bois, de la pitoune selon l'expression consacrée. On coupait les sapins abattus en quatre pieds et les bûcherons les mettaient en corde sur le bord d'un chemin forestier tracé au bulldozer et ensuite ils étaient charroyés par des camions jusqu'à un cours d'eau proche. Les billes descendaient le cours d'eau, étaient récupérées à un certain endroit et amenées au moulin, où on en faisait de la pâte pour du papier.

Mon père avait un bon travail. Du moins, il ne s'en plaignait pas quoiqu'il dût souffrir de sa régularité et de sa monotonie. Mon père était un peu indolent, mais certainement un employé modèle puisque, sur la fin de sa vie, il souffrit d'ulcères d'estomac, ce qui est extrêmement rare chez les gens de la forêt.

Deux ans avant ma naissance, il fut envoyé à Montréal dans un bureau par la compagnie. Il y alla donc, car il se considérait bien traité par ses patrons. Mais lui qui aimait les grands espaces, il s'ennuya mortellement dans la grande ville. Il avait loué une petite chambre sur la rue Peel et y mena une existence rangée, très ordinaire. Chaque soir, beau temps mauvais temps, il allait faire une marche jusqu'aux quais du port, peut-être parce que la proximité de l'eau lui rappelait sa Gaspésie mi'kmaque. Un soir de mai pourtant, il y remarqua un transatlantique ancré depuis peu. Il déchiffra sur la coque *Nice* et il comprit qu'il s'agissait d'un vaisseau d'immigrants. Il apprit que ce navire transportait des Juifs du vieux continent qui voulaient s'installer en Amérique parce qu'ils avaient eu la prescience d'une prochaine persécution dont ils allaient faire l'objet. Le national-socialisme allemand de triste mémoire contaminait déjà les esprits faibles de toute l'Europe. Le peuple juif était alarmé par les prémices de l'étonnant déferlement de haine raciale qui commençait à envahir l'Allemagne et les pays avoisinants. Madame Lina Heydrich[1] n'avait-elle pas dit dans une élégante soirée : « Monsieur Hitler

---

1. Épouse de Reinhard Heydrich, fonctionnaire de la police allemande, né à Halle en 1904, mort à Prague en 1942. Il adhéra au parti nazi en 1932, où il devint l'adjoint d'Himmler. Chef de la police politique de Munich

et mon mari essayent de faire partir les Juifs d'Allemagne pour assurer un espace vital au peuple du Reich. Il serait important qu'on les accueille dans les autres pays. » C'est dire l'atmosphère qui régnait déjà dans cette nation qui vit l'ascension d'un des criminels politiques les plus cruels. Lina Heydrich avait raison sur ce point. Les autres pays se montrèrent réticents à accueillir des Juifs sur leur sol. Même le Canada tergiversait. Ainsi les autorités canadiennes ne donnèrent pas la permission aux passagers du *Nice* de débarquer dans le port de Montréal.

En attendant, pour tromper son ennui, celle qui devait devenir ma mère se promenait sur le pont et parfois s'appuyait sur la rambarde de la plage arrière du paquebot. C'était une jeune femme de vingt-deux ans,

---

en 1933, il présida la purge de juin 1934 avec le résultat qu'il devint chef de toute la police allemande en 1934 pour aboutir, en 1940, commissaire général de la Gestapo pour les territoires occupés. En 1941, il succéda à Von Neurath comme « protecteur du Reich » en Bohême et en Moravie, où il se rendit odieux par la brutalité de son action policière. Il fut finalement assassiné par des résistants tchèques.

blonde et triste comme il sied à quelqu'un qui a quitté son pays pour des cieux étrangers et qui est seul au monde.

Mon père l'aperçut dans un moment d'immobilité et fut frappé par sa grande beauté. Il se tint au bas de la passerelle et demanda à un marin descendant du bateau qui était cette belle passagère. Le matelot, avec gentillesse, alla s'enquérir de l'identité de celle-ci. Au retour, il raconta à mon père qu'elle était juive, d'origine autrichienne, et qu'elle cherchait à émigrer au Canada. Elle s'appelait Sarah Goldstein. Mon père était subjugué, conquis. Aucune femme ne lui avait causé autant d'impression que cette Sarah, qui ressemblait d'ailleurs comme deux gouttes d'eau à une jeune actrice française qu'il avait vue dans un cinéma de la rue Saint-Denis où elle était l'héroïne de *L'éternel retour*. Il s'agissait de Madeleine Sologne, qui joua aux côtés de Jean Marais et imposa, en même temps que Veronika Lake aux États-Unis, la blondeur éthérée.

Un seul film, une seule pose, une seule mélancolie dans les traits lui conférèrent le mythe absolu : celui de la passion qui incendie le cœur le plus froid.

Ce fut bien le cas de ma mère : elle rendit mon père amoureux de son image, car il était strictement défendu aux Canadiens de monter à bord ; seul le personnel pouvait descendre du paquebot et revenir à bord. Le *Nice* resta dix jours amarré au quai du port de Montréal et, chaque soir, mon père, Robert-Daniel Ferguson, s'y rendit, silencieux et grave, cherchant à capter le regard de la belle inconnue. Il faut croire qu'il y réussit quelquefois, car elle lui envoya la main avec un sourire.

Mon père se décida : le dernier soir avant le départ du *Nice*, il demanda au marin par qui il faisait passer ses messages de porter une lettre à Sarah Goldstein. Ce qui fut fait. Il avait écrit :

« Mademoiselle Goldstein,

Je vous vois depuis quelques jours et vous me paraissez bien belle. Je vous trouve à mon goût, je crois même que je vous aime. Si vous êtes d'accord, je vais aller vous attendre au port de Vancouver où le marin qui nous sert d'intermédiaire me dit que vous devez vous rendre sous les ordres du gouvernement canadien qui doit vous recevoir sur son sol seulement à cette condition. J'irai vous prendre quand le bateau accostera. C'est une promesse, faites-moi signe si vous êtes d'accord.

D'un admirateur inconditionnel,

Robert Ferguson»

Sûrement, Sarah reçut la lettre et la lut avec un certain étonnement. Elle avait déjà remarqué cet homme au teint foncé et aux yeux légèrement en amande qui la regardait avec tant d'insistance, mais elle ne s'attendait pas à une telle déclaration. Elle fut si émue qu'elle se retira dans sa cabine quelques instants. Sa décision était probablement assez difficile à prendre, elle était seule et n'avait personne sur qui compter. Mon père fut surpris de cet absence imprévue et crut que c'était une façon de se désister mais, quand il la vit revenir, il se sentit un peu ridicule. Elle lui fit un large signe de la main. Il en fut si heureux qu'il lui renvoya la main en criant: «*Sarah, I love you!*» Puis, dans un geste théâtral, il plia le genou en lançant sa casquette à l'eau.

Le paquebot reprit la mer. Le Canada avait trouvé le moyen d'échapper à l'antisémitisme ambiant; en effet, à l'aube de la Deuxième Guerre mondiale, ce sentiment déshonorant envahissait tout comme un poison distillé par les disciples inconséquents d'Hitler. Ainsi, notre pays refoulait-il les Juifs de Montréal et les acceptait par Vancouver. Il était utile aux ressortissants juifs de se procurer un extrait d'un baptistaire avec le nom d'une personne née au Canada ou au Québec pour se prémunir contre le danger d'être refusée à cause de leur religion. C'était là une idée totalement absurde, mais elle concordait avec l'humeur du temps. La méthode la plus courante était de demander à un curé compatissant un baptême catholique. Parfois même, des familles québécoises ou canadiennes passaient l'extrait de baptême d'un parent décédé à des arrivants juifs. Les immigrants avaient peur sans doute que l'idéologie nazie n'atteigne tous les pays et ils agissaient en conséquence.

Mon père avait entendu dire qu'une jeune femme de vingt-trois ans venait de décéder au Lac-au-Saumon, petit village dans la vallée de la Matapédia. Il s'y rendit et expliqua au curé, brave homme, son projet. Celui-ci, avec l'accord de la famille de la jeune femme, remit à mon père l'acte de baptême de Marie-Élise Beaulieu.

Puis, mon père attendit pendant quelques mois à Montréal, car il fallait laisser le temps au bateau de descendre jusqu'au Panama et remonter ensuite jusqu'à Vancouver. En conséquence, il demanda aux patrons de l'International Paper la permission de s'absenter pendant un mois. Comme le travail n'était pas bien absorbant, on la lui accorda et il reçut en plus une somme d'argent, son salaire qu'on lui payait malgré son absence le mettant bien à l'abri du besoin et lui permettant de se payer ce beau voyage.

Auparavant, selon l'esprit qui doit toujours présider aux actions des Mi'kmaqs, il prit quelques jours de « sauvagerie » qui consistaient à s'isoler en forêt et à prier pour la réussite de ses projets.

En septembre 1937, il prit le train à Pointe-à-la-Croix pour se rendre à Vancouver. Lui qui n'aimait pas parler de ses affaires personnelles, il était intarissable sur les péripéties de ce voyage au-devant de l'amour dont il garda un souvenir heureux jusqu'à la fin de sa vie. Il disait sa surprise lorsqu'il aperçut les plaines de l'Ouest et il décrivait inlassablement la beauté et la hauteur des montagnes Rocheuses. Mais toute cette solitude lui pesa ; le train lui fut une épreuve, la poussière, la promiscuité et l'ennui du long trajet lui furent pénibles, surtout qu'il n'y avait pas de wagons-lits à l'époque. Les voyageurs fourbus se reposaient à même les bancs au tissu rêche bourrés de crin. Les courbatures venaient à la longue. Faire sa toilette était aussi un problème ; pas question pour les hommes de se raser, car les ballottements et les soubresauts du train n'étaient pas nécessairement en accord avec les rasoirs à lame très aiguisée dont on se servait alors. Belle époque pour le rail, mais plutôt pénible pour les voyageurs.

Puis, ce fut l'arrivée en Colombie-Britannique sous une très belle température. Aussitôt, mon père loua une chambre dans une pension pour marins dans le port de Vancouver et il attendit patiemment la jeune femme qu'il ne connaissait que de vue. Il n'eut pas d'appréhension et ne se sentit pas ridicule d'éprouver un sentiment aussi vif pour une personne à qui il n'avait jamais parlé de sa vie. Il songea avec un peu de regret que sa future épouse ne serait pas mi'kmaque comme il l'aurait désiré. Toutefois, n'étant pas fataliste, il acceptait ce destin; il était convaincu qu'il faisait ce qu'il avait à faire.

Enfin, un matin, le *Nice* vint s'apponter au quai de Vancouver. Le cœur battant, Robert-Daniel Ferguson attendit le débarquement des passagers tout près du poste des gardiens du port à qui il avait présenté en bonne et due forme l'extrait de baptême de sa future épouse. Quand elle se présenta au bas de la passerelle, il s'approcha et lui prit la main. Probablement qu'ils furent tous les deux très émus. Sarah Goldstein devenait à partir de ce moment Marie-Élise Beaulieu, canadienne-française. C'était une jeune femme frêle et au tempérament anxieux et tourmenté. Elle parlait à peine le français, n'ayant vécu en France que trop peu de temps.

Face à face, ils restèrent silencieux un bon moment, se regardant avec timidité. Mon père, un peu gauche, lui fit signe de la suivre. Elle le fit sans un mot, toute à son observation de ce monde nouveau. Il loua une autre chambre et il l'amena dîner dans une pension de famille. Alors il commencèrent à se parler dans un français laborieux pour que l'entourage ne comprenne pas. Elle parlait difficilement cette langue avec un accent affreux. Née en Autriche, ma mère ne fut jamais capable d'écrire et de s'adapter au français. Il semble qu'elle avait un blocage dans l'écriture de cette langue pour une raison que je n'ai jamais comprise. Dans un débit laborieux, elle apprit à mon père qu'elle était fille unique, née à Braunau-sur-Inn, en Autriche, qu'elle avait pratiqué le métier de couturière dans sa jeunesse et qu'elle avait décidé de venir au Canada pour échapper à la vague d'antisémitisme qui bouleversait l'Europe, car elle avait peur de la persécution. Elle était d'abord passée avec ses parents, Ruth et Absalon Goldstein, de l'Autriche en France. Ils avaient eu de la difficulté à se faire accepter dans ce pays. Ils s'installèrent dans la ville de Metz, renommée pour son accueil aux immigrés. Absalon Goldstein travaillait admirablement le bois et il ouvrit un petit atelier de réparation de meubles. Ils auraient pu vivre là, heureux et tranquilles, n'eussent été le tempérament tourmenté de Sarah et ses craintes prophétiques devant la montée du nazisme. Sarah choisit de partir pour l'Amérique, qui lui paraissait si loin et par le fait même offrait la sécurité, du moins c'est ce qu'elle pensait. Ruth et Absalon ne s'opposèrent pas à ce départ malgré la peine qu'ils en ressentirent. Ils aimaient profondément leur fille et ne pensèrent même pas à contrarier son projet. Ils pensaient qu'elle serait en sécurité à l'étranger.

C'est ainsi que, en avril 1937, Sarah Goldstein s'était embarquée sur le *Nice* avec des compatriotes juifs pour se rendre au Canada. Elle garda de ses longues semaines en mer un sentiment amer de solitude dont elle ne réussit jamais à se débarrasser complètement. Elle vit désormais le monde à travers les brumes épaisses de l'Atlantique. L'âme juive est tellement sensible que, transplantée, elle prend du temps à refaire ses racines.

Le séjour de mes futurs parents à Vancouver ne me fut jamais raconté en détail, mais il ne fait pas de doute dans mon esprit qu'ils s'apprécièrent et s'aimèrent dès ce moment. Comment en aurait-il été autrement puisque l'étrangeté de leur rencontre les avait rapprochés à jamais ? Je revois en imagination cette jeune femme blonde et triste parcourant les rues de Vancouver au bras d'un homme attentionné qu'on aurait pu prendre pour un Déné de l'endroit. C'est en tout cas ce que montrent les photos anciennes que j'ai eues en héritage. Mon père, contrairement à d'autres, avait une passion pour la photographie et il possédait un vieil appareil qu'il utilisait souvent. « Ça me permet de suivre mes pistes », disait-il. Mon père, bien des années plus tard, m'a fait la confidence que le voyage du retour fut très pénible, et il se rappela longtemps la tristesse de Sarah regardant fixement par la fenêtre du train les montagnes Rocheuses et ensuite les champs de blé de l'Ouest qui défilèrent avec monotonie sous ses yeux.

Ils demeurèrent quelques jours à Montréal, puis mon père demanda à l'International de les transférer en Gaspésie, où ils arrivèrent au début d'octobre. Ils s'installèrent à L'Alverne, où ma mère vécut chez des amis de mon père en attendant. Finalement, le 27 décembre 1937, ils s'épousèrent et s'installèrent dans la maison que mon père avait bâtie avec mon grand-père et ses frères.

De cet événement découla que je naquis un an et quelques semaines plus tard. Avant ma naissance, mon père avait décidé de conduire ma mère à l'hôpital de Campbellton, car elle semblait très souffrante. Il attela le cheval sur la carriole d'hiver et ils firent le voyage, emmitouflés dans des peaux de bison achetées quelques mois plus tôt. Ils ne souffrirent donc pas trop du froid. Trois longues heures, car il fallait descendre de la colonie de L'Alverne, se rendre jusqu'à la réserve de Ristigouche et traverser la rivière pour se rendre à Campbellton, en face, au Nouveau-Brunswick.

Ils s'arrêtèrent chez mes grands-parents, Agate Bonne Âme et William Le Priant. Ils y furent reçus avec affection, comme il va de soi. Mon père, après s'être réchauffé un peu près du poêle à bois, décida d'aller tout de suite à la cabane du snowmobile et il demanda au conducteur de les emmener à Campbellton. Celui-ci lui dit qu'il n'en était pas question pour l'instant, car la glace de la baie était trop rugueuse; son engin était trop difficile à manœuvrer sur la rivière, « de la vraie planche à laver », et il ne pourrait traverser que lorsqu'il y aurait de la neige pour égaliser la route balisée. Son véhicule était un appareil vrombissant qui causait un peur démentielle aux chevaux qui traversaient d'un point à l'autre. Il était constitué d'un fuselage d'aéroplane monté sur trois skis dont le premier, à l'avant, servait à gouverner le snowmobile. À l'arrière, sur le dessus, on avait placé un moteur d'avion avec l'hélice à l'envers ; celle-ci donnait l'élan et la poussée nécessaires au véhicule, qui s'élançait à vive allure sur la surface glacée de la rivière Ristigouche. Inutile de préciser qu'il s'agissait d'une ingénieuse invention d'un patenteux local qui aurait fait rougir d'envie Monsieur l'inventeur Bombardier lui-même. Cette autoneige avait cependant une particularité gênante : pour tourner le véhicule sur la gauche, il fallait tourner le volant à droite : une erreur de montage qu'on n'avait pas encore eu le temps ou bien qu'on ne voyait pas la nécessité de rectifier.

Pourquoi justement le jour de ma naissance a-t-il fallu que cet appareil ne puisse traverser ? Pour une raison bien simple : il avait fait un temps doux en décembre et un froid sibérien en janvier, de sorte que la glace, dans un premier temps, avait dégelé et pourri, selon l'expression populaire et, dans un deuxième temps, elle avait gelé de nouveau, provoquant des inégalités sur la surface glacée, des crêtes acérées et des trous. Cela rendait risquée la traversée parce que le conducteur du snowmobile, n'ayant plus le contrôle sur la vitesse, s'il heurtait une bosse ou si un ski se brisait pour cette raison, pouvait capoter. Il n'était pas facile d'arrêter cette machine une fois qu'elle était lancée. Elle prenait son élan, atteignait un certaine vitesse et traversait la baie en peu de temps car il y avait à peine un kilomètre à parcourir. Enfin, parvenue à une certaine distance de la berge, il fallait lui faire faire un cercle pour ralentir sa course et, moteur arrêté, elle achevait son parcours par inertie, finissant par stopper complètement. Selon l'endroit où elle s'arrêtait, il fallait marcher plus ou moins sur une certaine distance.

Bonne Âme, sage-femme expérimentée, s'aperçut bien que sa belle-fille était au plus mal et elle fit mander, par prudence, la garde-malade du dispensaire des Mi'kmaqs pour l'assister.

Je naquis à quatre heures de l'après-midi, par un temps venteux, glacial, sous un ciel givré de janvier. À l'annonce de l'événement, quelques jours plus tard, grand-père ouvrit sa Bible et récita trois strophes d'un psaume selon une tradition mi'kmaque qui remontait aux premiers missionnaires :

« C'est toi qui m'as formé les reins,
qui m'as tissé au ventre de ma mère ;
je te rends grâce pour tant de prodiges :
merveille que je suis, merveille que tes œuvres.

Mon âme, tu la connaissais bien,
mes os n'étaient pas cachés de toi,
quand je fus façonné dans le secret,
brodé au profond de la terre.

Mon embryon, tes yeux le voyaient ;
sur ton livre, ils sont tous inscrits,
les jours qui ont été fixés,
et chacun d'eux y figure. »

L'accouchement avait été très difficile et avait laissé ma pauvre mère exsangue. Ma grand-mère, constatant son état, fit venir le prêtre de la mission Sainte-Anne pour lui administrer les derniers sacrements de ceux qui vont partir.

Pendant des jours, ma mère, Élise Beaulieu, resta entre la vie et la mort. Lorsque je fus en âge de comprendre, je me suis longtemps senti coupable de cette souffrance. C'est certainement la preuve que les garçons ne sont pas aussi indifférents qu'on le croit au sort des femmes qui mettent des enfants au monde. Finalement, Élise-Sarah, dès que ses forces furent un peu revenues, fut conduite à l'hôpital de Campbellton, où elle demeura un mois avant d'être complètement rétablie.

Le destin fait bien les choses : ma tante Margot, dernière fille de Bonne Âme, venait de perdre son travail et elle décida de remplacer ma mère. Ainsi le sang familial coula en moi avec cet acte de dévouement et j'en fus probablement marqué à jamais avec ce qu'il y a eu de meilleur dans ma vie. Mes parents devant cette aide inattendue me laissèrent donc à Ristigouche chez mes grands-parents et la tante et retournèrent à L'Alverne. Mon père venait une fois de temps en temps, et je ne revis ma mère naturelle qu'une fois parvenu à l'âge de quatre mois. Quelques années passèrent, et ma mère n'était plus que l'ombre d'elle-même. Ses parents, Ruth et Absalon Goldstein, étaient décédés dans le camp de concentration de Ravensbruck, et on ne voyait plus la fin de cette guerre absurde qui décimait l'Europe. Les seuls souvenirs que j'ai vraiment gardés d'Élise, ce sont sa tristesse et sa cuisine. De son visage souffrant, je garde une impression pénible. Elle était par ailleurs une cuisinière accomplie. Oh ! ce parfum ! Elle avait une façon spéciale de cuire les pommes de terre dans une sauce dont elle avait le secret. Elle cuisinait aussi des galettes au sucre tellement délicieuses que je n'en ai pas oublié la saveur délicate, un peu comme l'écrivain français Marcel Proust n'a jamais pu oublier le goût des madeleines de sa mère.

Je passais quelques jours avec mes parents dans les montagnes et je revenais chez mes grands-parents où j'étais bien plus heureux. L'enfant est toujours cruel, il veut être là où il est bien même si ses proches doivent en souffrir et je suis sûr maintenant que mes parents souffraient de me voir fuir. C'est drôle que mes propres parents m'aient été comme étrangers; mes vrais parents, c'étaient Agate et William.

Je demeurai huit années complètes dans leur merveilleuse maison où je me sentais plus indien que blanc.

Ma mère naturelle mourut un jour d'avril froid et ensoleillé. Je fus à son enterrement. Je me souviens d'avoir eu de la peine, même si elle me laissait une santé fragile, le don d'une immense imagination qui me fit tort parfois, ce dont je lui sais gré, peu importe si elle en est touchée là où elle est maintenant.

Dans ma chambre, après le départ de ma mère, je voyais vivre des personnages fantastiques dans les coins d'ombre ou sur les buffets. Dans la neige, dehors, autour de la maison de mes grands-parents, les arbres devenaient des mondes d'une richesse sans pareille d'après les légendes et les histoires mi'kmaques racontées par eux. Il y avait la Sawèche, cette géante qui était la terreur des autres nations indiennes. Un jour, fâchée contre une troupe d'Iroquois qui campaient sur la Matapédia pour attaquer, elle se fit un arc avec un grand arbre, y plaça des troncs qu'elle lança sur les ennemis. Ces troncs, en frappant le flanc d'une colline, roulaient sur la pente et écrasaient les tentes, faisant fuir les intrus épouvantés.

On évitait dans tous ces contes de me décrire la torture et la mort nécessaires dans la mythologie indienne. Ce n'est que beaucoup plus tard que j'appris ces deux choses en étudiant les manuels d'histoire.

Je demeurai donc dans cet environnement favorable jusqu'à mes sept ans. Mon père vint alors me chercher pour que je demeure avec lui et pour que je fasse mes débuts scolaires. Sans doute s'ennuyait-il beaucoup et son veuvage lui pesait-il énormément. Je le sentis souvent en le regardant vivre à mes côtés. Je compris aussi qu'il avait beaucoup aimé ma mère, la seule femme de sa vie. Il me traita toujours avec bonté et affection et il prit soin de moi d'une façon si entière que je pense aussi l'avoir bien aimé. Il était le héros, le véritable homme de ma vie. Quand il s'absentait, il me laissait chez mes grands-parents. C'était toujours trop court, quelques jours tout au plus.

Aux vacances scolaires toutefois, j'avais la permission de demeurer pour l'été chez mes grands-parents.

Qu'ils étaient longs les mois de mai et de juin qui me séparaient encore de Bonne Âme et du Priant. J'allais à l'école comme il se doit, mais mon tempérament sauvage prenait souvent le dessus et je m'absentais pour aller rêver dans la montagne et dans les bois.

L'école comme bâtisse était en planches et s'y entassaient une vingtaine d'écoliers sous le férule d'une vieille institutrice qui s'y connaissait en maniement d'enfants. Elle n'aimait pas les Indiens et le montrait chaque fois qu'elle en avait l'occasion. Elle avait pris en grippe John Lesond, un petit garçon mi'k-maq qu'elle séparait des autres sauvages, comme elle disait. Peut-être avait-elle peur d'une révolte ? Parfois, lorsqu'il s'oubliait dans ses tables de multiplication ou dans ses règles de grammaire, elle sortait de son pupitre une latte de sapin et lui ordonnait sèchement :

— Montre tes mains et ouvre-les !

Il obéissait avec une grande réticence. Alors, avec application, elle le frappait longuement. Il ne pleurait pas, les larmes coulaient sur ses joues malgré lui. Nous étions obligés d'assister à cette scène, horrifiés et impuissants. Jusqu'au jour où son père arriva brusquement dans la classe. Il ordonna à l'institutrice de montrer ses mains et, comme elle ne voulut pas, Médix Lesond donna un coup de poing sur le pupitre qui se fendit en deux. Il gronda :

— La prochaine fois que vous toucherez à mon garçon, je vous ferai la même chose !

Elle ne recommença plus, mais elle n'adressa plus la parole à John. Alors, nous l'avons, chacun d'entre nous, aidé dans ses devoirs et leçons. Si John allait à l'école, c'est qu'il voulait devenir comptable pour aider ses frères amérindiens dans ce domaine.

Dans les derniers mois, j'étudiais mal tant je pensais à l'été qui viendrait où enfin je pourrais aller vivre à Ristigouche. L'ennui d'un enfant peut être extrême. Son bonheur aussi, sans doute. La maîtresse d'école disait à mon père, régulièrement, chaque dimanche, sur le perron de l'église, après la messe, car à cette époque, il fallait assister chaque dimanche à la messe où tout le monde se rencontrait et où l'on se parlait de choses importantes puisqu'il n'y avait pas encore de téléphone dans toutes les maisons:

— Il ne se force pas. C'est son côté sauvage…

Mon père ne répondait pas. Il se contentait de la regarder avec un certain regard de pitié. Il faut dire qu'il ne s'intéressait pas beaucoup à mes progrès scolaires, croyant que tout arrive dans le bon temps.

Donc, mai et juin s'éternisaient dans des odeurs de commencement d'été et je jetais des regards d'envie au ciel. Il fallait bien qu'un jour ou l'autre la fin de juin finisse par arriver avec ses bonnes chaleurs gaspésiennes et ses vents doux, caresses des fleurs. C'est le souvenir que je garde; il ventait doucement et les fleurs oscillaient. Il faisait très beau dans les hautes terres de la paroisse de L'Alverne.

Mon père ne réagissait pas beaucoup quand je lui demandais, tout de suite après la dernière classe, le 21 juin exactement:

— Quand est-ce que je vais pouvoir aller demeurer chez grand-père et grand-mère?

Il répondait avec une tristesse dans la voix:

— Tu t'ennuies donc beaucoup avec moi?

J'avais honte et je n'osais lui répondre, mais il avait assez d'intuition et de bon sens pour comprendre que j'étais plus heureux avec ses parents. Deux ou trois heures plus tard, il m'aidait à faire mon petit bagage et il venait me reconduire. Indicible bonheur d'enfant, mes grands-parents m'attendaient sur le seuil, plus tassés chaque année. Ils me recevaient toujours avec autant de chaleur et d'amour. Je pleurais de joie et de contentement pendant qu'Agate Bonne Âme disait invariablement :

— Eh, bien, John, nous voilà repartis pour un bon été…

Elle riait en m'embrassant sur le front et moi, enfant bête, je ne pouvais retenir mes larmes.

Elle recommandait à mon père de venir souvent. Il y avait une chambre pour lui en haut.

La maison de mes grands-parents sentait bon et familier. Une fois l'émotion de l'arrivée calmée, grand-mère me gavait de sucre à la crème, de banniques à la mélasse bien chaudes et de mille autres tentations sucrées puisqu'en ce temps-là, le sucre n'avait rien de vilain pour l'estomac des enfants!

3

L'HUMOUR DES MOTS

Tout acte d'écriture signifie-t-il
la fin d'un silence?

J'avais atteint mes douze ans, je crois bien, quand je me sentis assez capable pour écrire mon premier vrai texte. Il suffisait que je prenne un crayon, et ça y était : j'avais des inspirations, des idées et je me mettais à tracer mes lettres sur les lignes parfaites de mes feuilles de cahier à anneaux. J'avais une « belle main d'écriture », me disait ma grand-mère. Je n'écrivais pas au stylo, car à cette époque, ces machins faisaient d'horribles pâtés pour un rien. Ils étaient bons pour quelques lignes et puis, foutt ! la tache détestable. Je prenais donc un crayon à la mine, bien aiguisé, et je me mettais à l'œuvre.

Les voisins qui venaient visiter mes grands-parents trouvaient étrange qu'un garçon d'une douzaine d'années trouve son plaisir dans l'écriture. Ils me demandaient quelquefois de leur lire le début de mon histoire, plus par politesse que par goût. Ça les dépassait. Ils écoutaient religieusement cependant et s'étonnaient sur des détails insignifiants: « Pourquoi l'enfant, le héros avait des verrues dans les mains et sur les pieds? » Puis, ils comprenaient soudain ou du moins faisaient semblant. Ils se désintéressaient vite de mon histoire. L'imagination n'est pas le propos des adultes, mais des enfants.

C'était pendant les vacances de ma sixième année. Depuis longtemps, je m'exerçais à l'écriture et j'étais pas mal bon, bien meilleur en tout cas que les garçons de mon âge.

C'est ainsi que j'eus l'idée d'écrire un récit pour me faire la main, après avoir entendu une histoire de voisin racontée par ma grand-mère et qui montrait qu'écrire est toujours récompensé, surtout quand il y a de l'humour. La voici avec les retouches que les années m'ont permis de lui apporter.

Les bienfaits de l'écriture

Il avait mouillé toute la saison de l'automne cette année-là. Naturellement, sous cette pluie continuelle, le froid n'était pas encore apparu. Les longues herbes de foin d'odeur et de nénuphars, quant à elles, pourrissaient et jaunissaient tout le long des berges de la Ristigouche.

C'était vraiment pluvieux et même les gens âgés ne se souvenaient pas d'avoir vécu un pareil automne : ils se sentaient trempés jusqu'au fond de l'âme. Il y avait les maigres cultures des jardins à sauver, sinon que mangeraient-ils pendant le long hiver ?

Chez les Mattalik, une famille comme tant d'autres sur la réserve, le cœur n'était pas non plus à la fête : les aliments allaient bientôt manquer et la saison froide qui allait bientôt venir elle serait longue.

Pourtant, la grand-mère Marie avait annoncé après un été bien chaud :

— Je vous dis que la bonne sainte Anne ne nous oubliera pas et elle pourvoira à tous nos besoins.

C'est qu'elle était pieuse, la grand-mère, avec une foi bien plus forte que les racines des gros pins qui poussent encore dans les montagnes, là-bas, du côté des colonies. Avec le lait maternel, elle avait déjà balbutié avec sa mère le nom de la mère de sainte Marie, celle qu'honore toute la nation mi'kmaque. Combien de fois sainte Anne n'est-elle pas venue en aide aux hommes égarés dans les neiges folles lors des grandes chasses d'automne et aux familles dans la misère, en tant d'occasions qu'il paraît tout à fait inutile de les énumérer.

Cet automne-là, la bonne sainte des Mi'kmaqs avait probablement d'autres chats à fouetter parce qu'elle ne semblait pas s'occuper beaucoup des demandes de ses enfants de la Ristigouche.

Le père, Willie Mattalik, et son vaillant garçon de quatorze ans, Albany, avaient pourtant fait l'impossible : matin après matin, ils avaient tendu et visité collets et pièges, mais les avaient presque toujours trouvés vides. Quant à leur petit potager, les légumes semblaient y avoir pourri dans la terre. C'était le résultat de toute cette mouillassure.

— Si les lièvres se font si rares, c'est peut-être à cause de ce déluge, mais peut-être aussi à cause de la maladie des bois, car nous sommes dans une autre année de bouleaux qui pèlent, observait avec fatalité la mère Dora, fille de Marie.

Personne ne relevait l'affirmation, les pensées étant ailleurs. Dora poursuivit comme pour elle-même :

— … quant aux visons, aux martres, aux pékans, s'ils ne sortent plus de leurs ouaches, c'est parce qu'ils n'ont pas faim comme nous.

— À moins que ce soit pour ne pas abîmer leur fourrure, risqua malicieusement Albany.

— Ne ris pas ! C'est une vérité vraie que les bêtes à fourrure préfèrent jeûner plutôt que de patauger dans la boue gluante du bord de leur terrier.

Toute la famille s'était assise autour de la table de bois. Seul le père se leva, d'un air accablé, et il alla se planter devant la fenêtre striée de coulisses faites par la pluie. Il remarqua qu'il ventait fort, un vent du sud qui annonçait encore des averses. C'était beaucoup d'inquiétude, ce temps pourri. Il y avait dans la maison Mattalik six bouches à nourrir. Pour se payer le strict nécessaire, il fallait vendre des prises aux marchands, qui s'empressaient de les envoyer à La Baie d'Hudson, à Montréal. Leurs besoins n'étaient pourtant pas bien grands : de la farine, de la mélasse, du sirop de blé d'Inde, du sucre, du lait en conserve, du beurre, sans compter le savon et autres petites nécessités dont on ne peut se passer durant les lunes blanches. Quant aux légumes, ils les mettaient dans une cabane, les enterraient dans le sable pour les conserver ; ainsi, ils ne gelaient pas et on en avait à manger jusqu'au printemps.

Le magasin général de l'Atlantic Trading ne faisait pas crédit aux Indiens : c'était un principe sacré, car le préjugé voulait qu'un Indien ait toujours de la misère à payer ses dettes. C'était évidemment faux comme tous les bruits et toutes les contre-vérités que répandent les mauvaises langues au sujet des gens des Premières Nations.

Le chaman de la réserve, le gros Tom Cuerrier, avait prédit depuis des mois que l'on entrait dans le temps des disettes annoncé par les Aînés depuis au moins Membertou, le grand chef mi'kmaq qui avait reçu les Européens, qu'on avait baptisé du nom de roi du Canada et qu'on avait couronné avec des plumes d'aigle.

«Il n'y aura plus de poissons dans les rivières; les animaux dont la chair est délicieuse et nourrissante vont s'enfoncer au plus profond de la forêt, là où il n'y a qu'ombre et maladies; les bêtes à fourrure entreront au creux de la terre pour y dormir quelques années.»

On se garda de prendre le vieux Tom au sérieux: il s'était fait au cours des années la réputation d'annoncer les pires calamités, au point qu'en cachette on le surnommait avec dérision «Tom-catastrophe-sur-mes-os». Mais cette fois, il se pouvait fort bien qu'il ait raison.

Willie et son fils entreprirent une dernière tournée des collets et des pièges. On ne savait jamais. Comme ils s'y attendaient, ils les trouvèrent encore une fois vides et seules quelques prises leur permirent de ne pas mourir de faim. Il pleuvait toujours, mais la pluie devint froide et désolante.

Au retour, femmes et enfants les virent entrer dans la maison avec l'accablement comme compagnon. La pluie avait gagné.

Les deux hommes se séchèrent longuement près du poêle à bois, puis ils s'assirent à table où ils mangèrent sans appétit un brouet de gruau arrosé de sirop de blé d'Inde alors qu'autour les enfants s'agitaient dans des courses et des cris, après avoir fait honneur aux quelques lièvres attrapés dans les collets. Une fois le repas expédié et la table débarrassée, Willie commanda à son fils :

— Toi, tu sais écrire le bon français, mon garçon, tu as été assez longtemps à l'école. Va chercher des feuilles blanches et un bon crayon pour écrire.

Le garçon s'exécuta et la grand-mère Marie lui indiqua le tiroir où l'on conservait précieusement un petit bloc de feuilles blanches et un crayon HB bien aiguisé au couteau de poche, tout cela dissimulé sous une pile de linge propre, car c'était fort utile même si on ne l'utilisait pas très souvent. Les Mi'kmaqs ont la sagesse de préférer la parole, qu'ils ont rare, à l'écriture, acte difficile entre tous surtout quand on doit apprendre deux ou trois langues pour faire des échanges avec l'extérieur. D'autant plus que les phrases ont tendance à changer de sens selon le bonne ou la mauvaise foi de celui qui les écoute.

L'adolescent chargé de ces précieux objets revint s'asseoir sagement auprès de son père et il l'écouta avec attention.

— La lettre que je vais te faire écrire est très importante, évite les fautes…

Albany grimaça un sourire. Ne pas faire de fautes s'avérait un exploit au-dessus de ses capacités. Les mots et les phrases surtout semblaient toujours truffés de pièges insurmontables. À l'école, Albany ne s'était pas rendu au-delà de la sixième année et il n'était pas doué pour les études. Il aimait trop le bois et l'air pur, synonymes de liberté. Être enfermé dans une classe, c'était plus qu'il ne pouvait en supporter. Il avait pourtant décidé de faire de son mieux pour donner satisfaction à ses parents.

Pour écrire la lettre demandée par son père, il alla chercher le vieux dictionnaire éborgné, cadeau de l'inspecteur de l'Instruction publique pour ses efforts en dictée, et il revint s'asseoir au bout de la table où sa mère avait mis un bout de carton propre pour éviter les taches et lui permettre d'écrire bien droit sur cette surface lisse.

Willie, absorbé, retourna dans sa tête les phrases laborieuses qui formeraient la lettre. Il dicta, en hésitant parfois :

— Bonne sainte Anne, mère de Marie, grand-mère de Jésus, notre mère de même,

« si j'ose vous écrire aujourd'hui, ce n'est pas parce que j'ai peur que vous n'écoutiez pas les mots de ma bouche, mais pour vous demander par écrit une faveur qui ne se dit pas à haute voix.

« Nous sommes bien pauvres, comme vous le savez, mais nous sommes aussi fiers, et pour des Mi'kmaqs, ça doit pas être mal. L'écriture est un acte difficile. Pour cette raison, ça devrait compter pour une prière double. D'autant plus que je n'aime pas exposer mes misères. Celles des miens me font plus mal que les miennes propres.

« Voici mon problème : je suis dans le grand besoin de nourrir ma famille pour le prochain hiver qui s'en vient. Vous savez, vous, épouse de Joachim, que j'ai quatre enfants et ma femme et ma mère : ils vous aiment beaucoup et mangent aussi beaucoup. Ma demande, c'est que vous me fassiez parvenir cent piastres avec, sur chaque billet, le portrait du roi d'Angleterre. Avec ça nous passerons la saison des froids et des neiges l'esprit en paix et le corps content… »

Dora l'interrompit :

— Je trouve que tu prends un ton bien cérémonieux pour t'adresser à une sainte si proche de nous !

Willie se frotta les mains, décontenancé. Il prit soin d'expliquer :

— Tu sais, ça ne me plaît pas vraiment de faire écrire. Je suis déjà mal dans la parole, je dois l'être encore plus quand je demande à Albany d'exposer ma demande par écrit.

— La mère de la Vierge Marie est comme nous autres et elle ne doit pas s'étonner que nous lui exposions nos difficultés, encouragea la grand-mère Marie.

— C'est vrai ça, j'aurais dû y penser. Continue d'écrire, Bany…

« C'est dans votre intérêt, illustre grand-mère, car si nos ventres sont satisfaits, nous allons pouvoir mieux vous prier. Je sais que vous allez nous exaucer parce que c'est dans votre manière. »

Albany comprit que son père avait terminé et il lui passa la feuille et le crayon. Le Mi'kmaq écrivit son nom au bas, de sa grosse écriture malhabile, comme il l'avait appris au magasin de l'Atlantic Trading lorsqu'il avait à signer les chèques et les papiers du gouvernement. Puis, il demanda à son fils de relire. Ensuite, il reprit la feuille et l'examina soigneusement. Il ne passa aucune remarque sur les traces d'efface qui avaient laissé un peu de noir ici et là. Le papier blanc avait ce défaut-là. Il ne fut pas indisposé car il se disait que sainte Anne ne pouvait pas être offensée par ce léger défaut normal chez ceux qui n'écrivent pas souvent. Il se disait aussi que la mère de sainte Marie, mère de Dieu, n'était pas française elle non plus, et que l'ange qui allait lui traduire la lettre de Willy Mattalik ne remarquerait pas que la langue française est plus facile que l'araméen, langue du paradis. Ensuite, après un moment de réflexion, il fit relire Albany pour que toute la famille soit partie prenante. Après la lecture, l'adolescent ne put faire autrement que de dire :

— Si après ça elle ne nous aide pas, je vire morue !

— Seigneur ! s'écria la grand-mère, ne menace pas !

Mais il avait lui aussi une foi enfantine qui était la meilleure garantie qu'il ne finirait pas dans la mer avec de petits chapelets d'œufs dans le ventre.

La discussion s'engagea à savoir s'il fallait poster la lettre avec un timbre du roi George. La grand-mère trancha car elle avait un gros bon sens :

— Pas la poste royale, ce sont des voleurs. Je crois, Willie, que tu dois aller toi-même à l'église porter la lettre dans la boîte où l'on met les sous pour les pauvres, celle qu'on trouve aux pieds de la statue de sainte Anne.

Le Mi'kmaq approuva. Il se leva et revêtit son ciré noir taché de gomme de sapin pour le protéger de la pluie. Il sortit et marcha jusqu'à l'église. Il n'avait aucun doute sur le résultat de sa démarche. Il entra dans l'église, une fois que ses yeux se furent habitués à la pénombre, car la noirceur tombait et les lampions dont les flammes sautillaient comme des mouches à feu n'étaient pas d'une grande utilité avec leur éclairage parcimonieux.

En tâtonnant, il finit par trouver le tronc devant la grande statue avec ses bordures d'or. Il engagea la lettre pliée dans la fente étroite; il dut pousser fort pour la faire glisser au risque de déchirer les bords. Les Mi'kmaqs sont pauvres, c'est pour ça que les troncs d'église n'ont pas besoin d'avoir des fentes larges et profondes pour y déposer des lettres. C'était du moins l'idée que s'en faisait Willie.

Le père Albert, curé de la mission, capucin de son état, fut énormément surpris le matin suivant de trouver dans le tronc des pauvres, aux pieds mêmes de la sainte patronne de la paroisse, une lettre légèrement froissée. Il chercha ses petites lunettes dans la poche de sa bure, se les posa sur le nez, trouva un bas de vitrail plus clair pour lire. Il fit deux fois la lecture des phrases inégales aux lettres juvéniles et appliquées. Le prêtre était profondément ému par tant de foi et il alla prier la sainte de lui donner une idée pour arriver à satisfaire une telle demande. Il faut croire que sa prière fut assez courte. Il se releva allègrement malgré ses soixante-dix ans. Il n'était pas riche lui non plus, le père Albert, à cause de ses vœux religieux de fils de saint François d'Assise et plus simplement parce que la paroisse était aussi pauvre qu'on puisse l'imaginer. La qualité première du curé, c'était d'avoir bon cœur. C'est pour cette raison qu'il partit de grand matin, un jour de la semaine. Après sa messe, il alla frapper à toutes les portes de ses paroissiens, mi'kmaques comme blancs. Il ramassa le peu qu'ils purent lui offrir, car il leur expliqua qu'on avait besoin d'aider les plus pauvres à passer l'hiver. Certains avaient économisé assez pour se priver de quelques dollars. Le prêtre ne voulait surtout pas faire perdre la face à sainte Anne, c'est pourquoi tout au long du chemin il pria avec ardeur. Même que le gérant du magasin de l'Atlantic Trading voulut appeler ses patrons pour pouvoir lui remettre des marchandises, mais le capucin lui expliqua que pour cette fois c'est d'argent qu'il avait besoin. Le gérant fit des calculs serrés, protesta qu'il allait ruiner ses patrons et finalement il mit dans la main du prêtre un gros billet.

— C'est tout ce que je peux faire sans voler mes patrons…

— Sois béni pour ce bon geste.

Une fois de retour au presbytère, le père Albert se retira dans son petit bureau et se mit à compter les dollars et les cents ramassés de peine et de misère. Il eut beau faire et refaire ses calculs, il n'avait devant lui que quatre-vingt-huit dollars et cinquante-trois sous. Il regretta de n'avoir pas cent dollars juste, mais il jugea qu'il avait fait son possible et qu'il ne pouvait faire plus. Puis, il remit son manteau et se dirigea sur la route boueuse vers la demeure des Mattalik.

La grand-mère, surprise de cette visite, le fit asseoir et elle lui dit que la famille était heureuse de le voir. Le religieux, après l'avoir remerciée, s'adressa à Willie :

— Imagine-toi que ce matin j'ai trouvé une lettre adressée à ton nom près de la statue de sainte Anne.

— Vous savez, ça ne me surprend pas. Je lui ai écrit, c'est normal qu'elle me réponde puisque c'est vous-même qui nous prêchez que la foi déplace les montagnes.

Le prêtre rougit, un peu honteux de son petit mensonge, qui n'en était peut-être pas un mais plutôt de la restriction mentale, c'est-à-dire un mensonge pour faire le bien. Il se demanda s'il devait continuer parce qu'il avait peur de blesser le Mi'kmaq si jamais il devinait que c'était lui qui avait fait la bonne action. Il pria pour que personne ne parle de sa quête. Là-dessus, il n'avait pas vraiment de crainte, les gens ne racontaient pas avoir donné au prêtre, car ils ne voulaient pas que l'on puisse faire des comparaisons entre les dons de chacun.

— C'est bien, ce que tu viens de dire. Ta confiance est grande.

— Ce n'est pas de la confiance, mais de la foi qui me vient de mes pères et que nous ont transmise ceux qui sont venus avant vous.

Le père Albert lui tendit la grosse enveloppe pansue où il avait écrit le nom de Willie en lettres carrées pour qu'on ne devine pas sa propre écriture. Willie demanda à toute la famille de se réunir autour de la table et il ouvrit l'enveloppe. L'argent en sortit et s'étala. Le Mi'kmaq plaça les billets et les pièces en tas égaux et, laborieusement, il se mit à compter jusqu'au dernier sou. Il les recompta une deuxième fois, puis il demanda à Albany de faire de même. Ils arrivèrent tous les deux au même calcul: quatre-vingt-huit dollars et cinquante-trois sous, ni plus ni moins.

Le curé, mal à l'aise, attendait sagement. Willie resta un certain temps sans parler. Il semblait réfléchir. Puis, il se tourna vers le père Albert:

— Je voudrais que vous me rendiez service.

— Bien sûr, Willie, si c'est dans mes cordes.

— Voici deux piastres. Vous direz une messe à sainte Anne. Dites-lui de ma part de ne pas laisser faire ses commissions par vous.

Le curé, surpris, demanda pourquoi. Willie expliqua:

— Parce que vous autres, les prêtres, vous gardez toujours quelque chose pour les pauvres, et à cause de ça, sainte Anne me doit encore onze piastres et quarante-sept cents.

❦

Grand-mère Agate trouva ce récit amusant, mais grand-père le trouvait un peu naïf, et il me dit que c'était une façon de démontrer qu'avec l'écriture même le miracle était possible.

Ma grand-mère était fière de moi et elle faisait lire mon récit en disant :

— Imaginez s'il écrit bien et il n'a que douze ans et demi !

4

Le collège et l'écrit

Il ne faut que quelques couchers
de soleil pour créer un poète,
il ne faut que quatre murs
pour faire se morfondre un écolier.

Mon père

Tout le monde se demande pourquoi mon père avait pris le nom de Ferguson. Il faut bien que je l'explique car mon père était un authentique micmac qui avait nom Patershan, Robert Daniel Patershan. On l'appelait plus communément Robert-Dan.

Mon père, je le crois, avait une certaine gêne de passer pour indien. Bien sûr, il n'en avait pas honte, mais il était sorti, dès l'âge de quinze ans de la réserve et il avait été sur des "jobs" comme on disait à l'époque. C'était un jeune homme d'une grande beauté ainsi qu'en fait foi la photographie qui orne ses pages. Il était aussi un bon travailleur. Bûcheron, hâleur de pitoune, il était vite passé à commis. Il n'avait pas fait de grandes études, tout au plus s'était-il rendu à la septième année du primaire anglais. Mais il était dévoré d'une soif de savoir et d'apprendre insatiable. Il lisait beaucoup de magazines anglais et de journaux. On aurait dit qu'il avait appris tout naturellement. Il avait tant de facilité qu'il avait vite dépassé les blancs qui travaillait avec lui.

Il voyagea beaucoup aussi dans sa jeunesse. Ce qui naturellement lui ouvrit de nouveau horizon et l'éloigna de plus en plus de sa famille.

Un hiver, il monta dans un chantier et il fut remarqué par un des grands patrons de l'International Paper qui lui offrit étant donné qu'il avait pris correspondance un cours de comptabilité d'une grande école de New-York. Mon père accepta. Le salaire était bon et l'ouvrage facile, mais

③
Voie Lactée (haut à droite)
dessus d'une grange (Bas à droite)
②
L'objet vue de côté face à lui qui se
déplace de sa droite à sa gauche se mettant
vers Val d'Or.
Voie Lactée (haut à droite)
dessus d'une grange (bas à droite)
①
L'objet vue de côté face à lui
se déplaçant de sa gauche à sa droite.
Voie Lactée (haut à droite)
dessus d'une grange (bas à droite)

J'étais et nerveux et tremblant. Nous attendions de la grande visite qui allait décider de mon sort. Mes frères et mes sœurs, trop timides, avaient disparu de la maison pour aller jouer avec les petits voisins et éviter de rencontrer un être dont la seule présence les aurait fait fondre de confusion.

Les coups à la porte ébranlèrent, du moins me sembla-t-il, toute la vieille maison de bardeaux de cèdre usés par le temps. Ma grand-mère me jeta un regard où on sentait l'hésitation, mais elle décida de faire face à la musique.

Il entra. C'était un homme d'âge mûr, souriant et alerte. Il me sembla grand dans sa soutane. Son collet romain, son crucifix à la ceinture, tout cela était impressionnant. Un prêtre nous visitait. Il tendit la main à mon grand-père, qui, un peu mal à l'aise, se tenait en retrait. Ma grand-mère l'invita à s'asseoir et sur le meilleur siège en plus, celui qui ne branlait pas. En fait, c'était un fauteuil, le seul que nous possédions. Puis il se tourna vers moi :

— C'est toi, John ?…

Oui, c'était moi. Rouge comme une tomate, je me levai gauchement et vins me planter devant lui en lui tendant la main, me demandant intérieurement si c'était ça qu'il fallait faire devant un prêtre, représentant du Christ sur la Terre. On nous avait dit tellement de choses et on n'était pas habitués à les fréquenter sauf à la confession. On voyait bien les Capucins passer sur la route avec leur robe brune et leurs sandales. Ils nous saluaient et continuaient leur chemin. Étaient-ils tous pareils ? En bure brune ou en soutane noire ? Je dus faire ce qu'il fallait, car il me serra fermement la main avec un bon sourire.

— …Tu travailles bien à l'école ? Le père curé m'a dit beaucoup de bien de toi.

— Je ne vais plus à l'école. J'ai fini ma neuvième année…

— … Il aide son grand-père à couper du bois de chauffage dans la colonie et il m'aide dans la maison, s'empressa de dire ma grand-mère. Il est bon à la chasse et à la pêche.

Peut-être grimaça-t-il. À quoi pouvait bien servir un adolescent de seize ans qui n'avait fait l'apprentissage que de ces banales activités ?

Plusieurs mois auparavant, ma grand-mère avait écrit aux Oblats de la maison de retraite de New Richmond, car elle avait le désir de me voir étudier et que je fasse un homme de moi. Il n'y avait pas beaucoup d'adolescents de mon âge qui lisaient et écrivaient sur les bords de la Ristigouche. J'étais différent des autres et cela m'agaçait au plus haut point. Je me demandais pourquoi j'étais le seul à pratiquer ces deux exercices. Au fait, il y en avait un autre, que je connaissais bien, un Labillois, mais lui, il avait atteint la trentaine et ne lisait que l'anglais dans de gros livres d'histoire et, comme seule écriture, il remplissait les papiers de l'aide sociale pour quelques sous.

Ma grand-mère avait décrit notre pauvreté, ma situation d'orphelin et mon talent pour l'écriture. Elle voulait que j'aille au collège. Sur le coup, l'idée me déplut, mais en y réfléchissant, je compris que c'était la seule façon de devenir quelqu'un en visitant le vaste monde. Je savais que notre situation était précaire. Nous avions un toit, un jardin, quelques poules, deux ou trois vaches, un cheval. Il y avait le salaire de mon père, employé par la CIP, mais il suffisait tout juste à acheter les vêtements et à payer la nourriture de la famille quand les pensions de vieillesse n'y suffisaient plus. Encore que parfois on ne lui donnait pas d'argent comme salaire, mais un sac de farine, de la mélasse, des nécessités comme ça. Les boss anglais de l'International Paper prétendaient alors qu'ils n'avaient pas reçu l'argent pour payer les hommes et qu'ils compensaient en produits d'épicerie. Et c'était tout. Aucun homme blanc ou indien n'aurait risqué de se plaindre de cette situation, car alors il se serait fait signifier de prendre ses effets et de déguerpir.

Nous étions pauvres, mais heureux. Cela ne suffisait toutefois pas pour aller au collège. C'est alors que ma grand-mère avait eu l'idée de s'adresser à une communauté religieuse. Il paraît qu'on aidait les jeunes à faire des études en payant leurs dépenses de collège ou de séminaire pourvu qu'ils aient quelques talents et qu'ils pensent à la possibilité de devenir prêtres. Je l'avoue, cela ne me déplaisait pas. Il y avait tellement de grandeur humaine attachée à l'état ecclésiastique. Mais je doutais. C'étaient beaucoup d'années d'études et ensuite il fallait s'enfermer dans une discipline contraignante. De toute façon, on nous avait précisé que ce n'était pas une obligation. Heureusement, car je rougissais en pensant à mon peu de vertu pour parvenir à cet état. Je le savais pour avoir lu la vie des saints.

Je ne pouvais entrer au séminaire de Gaspé, plus près de chez moi, pour la bonne et simple raison qu'on n'y accueillait pas des élèves trop âgés et que je venais d'atteindre mes seize ans. On acceptait seulement les garçons de treize ans en éléments latins. Et pourquoi aurait-on admis dans une si haute institution un jeune homme venant de la Ristigouche, ceux-ci étant reconnus pour n'avoir pas une façon de vivre comme les autres ? Les quelques tentatives qu'on avait faites pour les éduquer s'étaient révélées un échec : ils apprenaient difficilement, ils s'ennuyaient et étaient, d'après ce qu'on prétendait, paresseux. Ce n'était pas vrai. Souvent, ils étaient faibles en mathématiques, forts en dessin et bien gentils, en tout cas ceux que je connaissais. Ils avaient beaucoup de difficulté en français, mais c'était parce qu'ils mélangeaient les trois langues qu'ils étaient obligés d'apprendre s'ils voulaient se débrouiller : le mi'kmaq, le français et l'anglais. Le Nouveau-Brunswick, province anglophone, étant tout près de l'autre côté de la Ristigouche, il fallait apprendre l'anglais. Les vieux quant à eux tenaient à nous voir apprendre la langue des ancêtres.

Le religieux, après un moment de réflexion, continua :

— Nous avons décidé de payer tes études, mais tu devras t'exiler dans un séminaire pour vocations tardives situé dans la Beauce. On y prend les garçons comme toi qui sont plus âgés. Ça te conviendrait ?

Je ne savais trop quoi dire. Grand-mère me regardait, pleine d'espérance, et grand-père, sans doute honteux de ne pas pouvoir payer les études de son petit-fils, gardait les yeux baissés, la pipe éteinte à la main : on ne fume pas devant un prêtre.

Celui-ci demanda :

— Quant à devenir prêtre, tu y penseras. Il faudra que tu aies la vocation d'abord. Penses-tu l'avoir ?

Je rougis, mal à l'aise. Encore une fois, je me demandais quoi répondre. Après un moment, il éclata de rire, un bon rire généreux et moqueur :

— Ah, vous autres, les jeunes, pour vous sortir un mot de la bouche, il faut vraiment que nous soyons patients ! Il faut vraiment que nous touchions une corde sensible. Qu'est-ce que tu aimes le plus, John?

Je me sentis pris. Il fallait que je dise quelque chose, n'importe quoi. Je choisis de dire la vérité:

— J'aime lire et écrire…

— Il écrit bien, presque sans fautes, précisa fièrement Agate Bonne Âme. Il a même composé une poésie sur sainte Anne.

Le prêtre me considéra, surpris, et sembla apprécier.

— Quel sorte de livres aimes-tu lire?

Je me tordis sur ma chaise, craignant son jugement.

— Des romans d'aventures…

À ma grande surprise, il me félicita:

— C'est de ton âge, mais n'abuse pas. J'espère que tu lis dans ton missel?

Grand-mère s'empressa de répondre à ma place:

— Ah, pour ça, oui. Il aime les psaumes.

L'oblat fut encore plus surpris. Il ne le crut peut-être pas. Il me demanda si je me souvenais d'un psaume en particulier. Je me mis à réciter:

— Le Seigneur est mon berger, rien ne manque.

« Sur des prés d'herbe fraîche il me parque.

« Vers les eaux du repos il me mène,

« il y refait mon âme ;

« il me guide aux sentiers de justice

« à cause de son nom… »

Le reste, je ne m'en souvenais plus. Il était vrai que les psaumes m'intéressaient beaucoup. J'y trouvais une certaine satisfaction et l'admiration aussi pour des expressions comme « il me parque », « les eaux du repos », « le sentier de justice ». C'était sans doute de la poésie. C'est pourquoi je retenais si facilement ces poèmes écrits il y avait si longtemps, mais qui exprimaient la beauté et les chants d'un cœur reconnaissant.

En réalité, je n'étais pas tellement religieux et, de la piété, je n'en avais pas plus qu'il fallait. Je vivais peut-être des sentiments légers comme tous les adolescents de mon âge. Heureusement, j'avais une excellente mémoire. Je priais quand j'étais malpris, sinon j'oubliais et je me contentais de vivre en m'amusant et en travaillant avec mon grand-père. Il est difficile d'être pieux quand la curiosité, les distractions et le bonheur de vivre nous tourmentent…

Je vis dans les yeux du prêtre qu'il était content de moi. Il conclut :

— Je pense que tu as passé brillamment l'entrevue. Prépare-toi à partir pour le séminaire.

En même temps, il sortit quelques billets de banque qu'il donna à ma grand-mère avec une feuille de papier. Je crois qu'elle fut paralysée. Elle prit du temps à les froisser et à les glisser dans la poche de son tablier. Elle n'était pas habituée à voir tant d'argent d'un coup.

— Voici la liste de ce dont il aura besoin et l'argent pour payer.

Je frappai deux coups à la porte comme on me l'avait dit. Une voix profonde me répondit d'entrer. Il y avait cinq mois que j'étais au séminaire. Le supérieur, tout monseigneur qu'il était, avait un air sévère : il était de petite taille, mince, et il avait le teint pâle, les cheveux ras, ainsi que quelques rougeurs aux joues. On le voyait souvent marcher dehors par tous les temps sur les longues galeries qui entouraient les murs du séminaire de briques rouge sombre. Il récitait son bréviaire, sorte de livre de prières exprès pour les prêtres, relié en cuir et doré sur tranches.

Il me fit signe de m'asseoir sans plus de formalité.

— Ah, c'est vous le gars de la Ristigouche! J'espère que vous allez faire honneur à votre communauté et que vous étudiez fort.

Je gardais le silence comme c'était dans ma façon. Il me considéra longuement, puis finit par dire:

— Ainsi, vous n'avez pas réussi en mathématiques, malgré le professeur que nous avons libéré pour s'occuper spécialement de vous? Vous n'avez donc rien compris aux fractions, à l'algèbre et à la trigonométrie? Par contre, vous êtes premier en français, en histoire, pas trop fort en géographie mais c'est passable dans les autres matières. Ma foi, vous êtes assez doué… Un peu paresseux peut-être?

Je regardais à terre. Je compris qu'il fallait que je parle:

— Je ne comprends rien aux mathématiques…

Le supérieur n'était pas tellement âgé. Il portait un liséré rouge sur les bords de sa soutane et une large ceinture rouge aussi avec des décorations de dentelle aux deux bouts. C'est ce qui le distinguait des autres prêtres en lui conférant une supériorité certaine. « On dirait qu'il a un bout de rideau autour du corps », pensais-je, le cœur battant. C'était un monseigneur, pas un évêque, mais bien un monseigneur, sorte de prélat honoré par Rome avec permission de s'habiller d'écarlate. Soutane noire cependant pour signifier qu'il était inférieur à un évêque. Cela, je l'avais appris. Et contrairement à d'autres monseigneurs, il tenait à remplir son rôle de supérieur et se mêlait à l'histoire des élèves, quoiqu'il aurait pu se contenter d'occuper son poste honorifique et laisser la charge des études à celui à qui cela revenait de droit, au directeur du séminaire. Monseigneur Trudel semblait aimer les contacts avec les étudiants et cela paraissait. Il nous recevait dans son bureau et s'intéressait à nos études. Son statut de monseigneur nous rendait un peu mal à l'aise en sa présence et nous étions fort discrets avec lui et respectueux : on savait tous que c'était un personnage important.

— Oui, John Ferguson, il paraît que vous n'êtes pas brillant en mathématiques… (Il me considéra d'un regard aigu.) C'est un moindre mal. Vous vous ferez aider par vos camarades. Bon, allez, je vous bénis.

Je me mis à genoux selon l'usage et il formula une bénédiction en latin. J'avais hâte d'être sorti de son bureau. Son autorité m'écrasait littéralement et je n'étais pas à l'aise avec tout ce cérémonial.

À la porte m'attendait Casimir Leblanc, un Gaspésien lui aussi. Il avait vingt ans et il étudiait pour devenir prêtre. Lui, c'était du sérieux. Il devait s'occuper de moi. Me montrer tout ce que les anciens avaient appris à la longue au séminaire du Sacré-Cœur de Saint-Victor-de-Beauce. Il me servait de mentor. Il devait me surveiller et me ramener dans le droit chemin si jamais je ne faisais pas comme il fallait. Il parlait beaucoup, mais ne m'intéressait pas vraiment. Les premiers jours, il m'avait fait visiter le séminaire, la cafétéria, les chambres et tout ce qu'il fallait connaître. J'étais découragé de voir la grandeur de cette institution d'enseignement. J'avais peur de m'y perdre.

Pour me rendre au séminaire, j'avais pris le train de bonne heure le matin, avec ma petite valise où Bonne Âme avait soigneusement plié et rangé mes maigres biens. Elle avait cousu des étiquettes à mon nom pour identifier mes vêtements.

Après un arrêt à Québec, à la Gare du Palais, j'avais repris le train pour la Beauce et j'étais arrivé au séminaire à six heures du soir.

Si je me suis ennuyé les premiers mois, c'est la discipline surtout qui m'agaçait. Je dus souvent être ramené à l'ordre par Casimir et par le préfet, sorte de personnage sévère qui s'occupait de relever nos manquements et de nous imposer une punition. Par exemple, j'avais souvent envie de sortir dehors pour me promener parmi les grands arbres proches. Je le fis quelquefois sans permission. Alors le préfet m'attendait sur le pas de porte et me semonçait :

— C'est une maison d'études et de prières ici, mon jeune ami. Il n'est pas question de sortir à tout propos. D'ailleurs, vous êtes le seul à le faire. Travaillez donc vos mathématiques à la salle d'étude, ce sera bien plus utile que d'obéir à vos moindres caprices.

Et en me décrochant un regard pénétrant, il me donna une image de l'ange de l'obéissance avec une prière pour obtenir cette immense vertu fort négligée par les jeunes gens de mon âge.

— Je vous vois lire et écrire souvent à l'étude. C'est un endroit où il faut étudier, surtout dans les matières où l'on se sait le plus faible.

Puis, il se radoucissait :

— On ne fait pas toujours ce qu'on veut dans la vie. Je sais que ce doit être bien difficile pour vous qui avez été élevé dans la liberté la plus totale. Je le sais, je connais les Indiens. J'ai été quelques mois dans une réserve algonquine en Abitibi avant que l'on m'envoie ici.

Je savais qu'on ne me renverrait pas du séminaire malgré mes frasques. Mon directeur spirituel, ce prêtre à qui on devait aller faire nos confidences deux fois par mois pour lui raconter nos problèmes, me l'avait confié en toute discrétion. Mon statut de Ristigouchois me donnait des droits que n'avaient pas les autres étudiants. Il n'approuvait pas toutefois mon goût de la lecture et de l'écriture. Je lui avais dit que j'écrivais un roman. Je vis bien qu'il n'en était pas exactement heureux:

— Écrire un roman, c'est de la futilité. C'est quoi votre sujet?

Je sentis mes joues s'échauffer. Je ne voulais pas lui confier le sujet de mon roman. Je dus quand même m'exécuter.

— … C'est l'histoire d'une jeune Amérindien qui s'en va vivre dans la forêt pour échapper à la civilisation… C'est un peu ce que je désirerais faire…

— Malheureux jeune homme! Et que feriez-vous dans la forêt?

— Je contemplerais la nature, vivant de chasse et de pêche.

— Seigneur! Et vous réussissez à écrire un roman avec ça! Ce serait beaucoup plus utile de faire des mathématiques, dans lesquelles vous êtes nul, m'a dit le directeur des études.

Je commençais à en avoir assez de cette histoire de mathématiques. Je répondis à contrecœur:

— Oui, mon père…

Il fallait appeler «père» tous les prêtres avec qui nous avions à faire. L'abbé parut satisfait. Il finit par me donner congé, tout en me disant:

— Comme c'est étrange. Vous devriez être le seul dans ce séminaire à n'avoir pas de talent pour l'écriture et c'est celui-là que vous avez. Oui, comme c'est étrange.

Je le quittai avec la certitude que c'était vrai: j'étais doué dans un domaine où même les meilleurs étudiants n'avaient pas de don précis. Au contraire, ils étaient agacés au plus haut point par les difficultés de l'écriture et de la grammaire, ce qui pour moi était d'une facilité déconcertante.

Casimir Leblanc aussi était un bon élève en français. Il me montrait ses textes, — un peu trop moralisateurs, bien sûr, pour plaire à nos maîtres —, mais il avait de l'imagination et un bonne plume.

Un jour, il me demanda brusquement:

— Ainsi, toi, tu écris un roman. Comment fais-tu? Avant d'arriver ici, tu ne devais pas avoir grand-temps à toi. Tu m'as dit que tu travaillais à la coupe du bois avec ton grand-père et que tu es allé à la chasse pour vos provisions d'hiver.

Je ne voulais pas lui répondre n'importe quoi.

— Je traîne mes cahiers avec moi. Par exemple, quand nous avons été à la chasse aux chevreuils dans la montagne en haut de L'Alverne, nous avions des cabanes d'arrêt, et le soir j'écrivais à la lueur du fanal. On aurait dit que plus j'étais fatigué plus j'avais des idées. J'ai même remarqué que la fatigue stimule parfois l'inspiration.

Quelque chose tracassait Casimir.

— C'est un bon roman?

— Je ne sais pas, peut-être. En tout cas, je n'ai pas de difficulté et les idées ne me manquent pas.

Casimir avait des arguments qui devaient me faire réfléchir:

— Tu sais qu'en entrant au séminaire tu devras te consacrer à tes études. Tu devrais oublier ces histoires de romans.

Dans mon esprit, il n'en était pas question. C'était son idée à lui, pas la mienne. J'avais une certaine crainte de devoir sacrifier mon écriture pour m'acharner sur des matières aussi pénibles et inutiles que la géométrie et l'algèbre.

Je fus étonné les premières semaines de découvrir combien j'aimais une chose dans le séminaire. Je lisais beaucoup, car il y avait une bibliothèque bien pourvue. En version latine et grecque, j'étais bon, du moins j'avais de bonnes notes. En sciences générales, le professeur, un vieux prêtre débonnaire, m'avait surpris à comprendre et à aimer son cours. Il venait de nous montrer une mouche prise dans de l'ambre que lui avait prêtée un chercheur universitaire qui l'avait trouvée dans une couche de pierre très très ancienne en Arizona. J'avais écrit en dissimulant ma feuille de la main :

«J'ai vu dans la résine d'ambre,
momifié à jamais,
l'insecte ancien.
Peut-être avait-il choisi cette mort
pour que, fossilisé pour toujours,
il lance vers nous
le souvenir d'avoir été vivant.»

Le professeur s'était approché et m'avait subtilisé la feuille par en arrière sans que je l'aie entendu venir. Il lut, ne dit rien, mais il n'était pas content. Je le vis bien à son air. La poésie n'était pas son fort. Il me fit copier mon texte une douzaine de fois en précisant d'un petit air narquois :

— Monsieur Ferguson, la science est supérieure à la poésie. Je vais vous apprendre à perdre votre temps...

Toute la classe, Casimir y compris, en profita pour rire sous cape. Je fus surnommé *le Poète à l'insecte.* Je me doutais qu'on se moquait de moi, mais je le pris comme un compliment, car j'étais incapable de ressentiment même si on croyait le contraire à cause de mes origines.

J'aimais le latin plus que le grec. Je n'étudiais pas énormément, mais j'avais une mémoire phénoménale. Cela étonnait beaucoup mes professeurs, qui avaient eu l'impression que parce que je venais de loin et ne m'étais pas rendu bien loin à l'école, je ne devais pas être un élève doué pour les études classiques.

Le directeur des études nota pourtant de sa belle écriture sur l'un de mes bulletins: « S'intéresse beaucoup à la littérature et néglige ses autres matières... »

5

LES SOUCOUPES VOLANTES ET VICTOR-LÉVY BEAULIEU

Je me sens infiniment riche
quand je pense aux mots
et aux phrases que j'ai encore envie
d'écrire.

« LA FRANCE OUVRE SON CŒUR AU QUÉBEC »

Cette phrase, je l'ai lue pour la première fois, en gros caractères en plus, avec un certain ébahissement. J'avais longtemps cru que la France l'avait toujours ouvert au Québec, son cœur, mais je crois bien que je me trompais.

C'était en 1966 et, après avoir enseigné dans la région montréalaise, comme tant d'autres à cette époque où ma génération fuyait les villes pour la campagne, croyant retrouver la nature dans son intégralité, j'avais eu aussi le goût de l'exil. Je m'étais donc fait engager comme enseignant de français et de latin chez les Ursulines de Gaspé. En me recevant, la supérieure m'avait jeté sèchement :

— Vous devriez enseigner aux vôtres…

— Les miens?

— Oui, les Indiens de Ristigouche et de Maria, ou même d'ici, à Gaspé.

— J'ai essayé de décrocher un poste, mais ils ont leur personnel. Et ici, à Gaspé, vous n'êtes pas sans savoir que les Mi'kmaqs vont aux mêmes écoles que les Blancs, il n'y a pas de réserve. Comme les Malécites, ils se sont intégrés à l'environnement blanc. Dites-moi, ma sœur, pourquoi m'engagez-vous?

— Vous avez d'excellentes recommandations et il paraît que vous êtes assez bon en latin.

Elle me jeta un regard par en dessous.

— Il vous faudra beaucoup travailler cependant. Notre institution a très bonne réputation…

Je ne pus réprimer un sourire.

— Et je suppose que vous tenez à la conserver?

Elle me regarda de biais pour voir si je me moquais, mais elle ne répondit rien.

Elle était sèche comme de l'amadou, genre de religieuse qui mettait une règle de deux mètres entre elle et son interlocuteur, surtout si c'était un homme. J'étais le premier à enseigner dans ce couvent de filles. Sans doute avait-on manqué de personnel féminin. Je ne me suis pas renseigné sur ce point. Nous étions encore dans les années où le monde religieux était plein de restrictions et de règles, et je doute que la supérieure m'aurait répondu franchement.

C'était après avoir complété mes études de philosophie à l'université d'Ottawa. Pourquoi en philosophie ? Pour la simple raison que l'on n'avait pas besoin de mathématiques pour décrocher un baccalauréat en philo. Même sans études en pédagogie, on était reçus comme des personnes de bien, et surtout de culture, dans les écoles, car le Québec manquait d'enseignants. On voyait arriver dans la profession des Français, des Haïtiens et plusieurs autres nationalités. Je pense que ce fut infiniment favorable aux Québécois, car ces étrangers ont apporté une ouverture d'esprit qui nous a sortis de l'isolement. La liberté qu'ils expérimentaient ici leur fut bénéfique, ils avaient le désir d'œuvrer pour le mieux afin de nous faire comprendre que nous l'avions.

Mon Dieu! quand j'y pense, c'était donc loin, Gaspé! Je me souviens de ce voyage sur le pouce jusqu'à cette ville perchée sur des collines, car non seulement il n'y avait pas d'autobus pour s'y rendre, mais il y avait à ce moment précis une grève des trains de passagers. J'avais pris place dans un véhicule en compagnie de deux femmes d'un certain âge, aussi ennuyantes que la pluie, à partir de Montréal.

Un fois rendu, je m'ennuyai à périr, là-bas, au bout du monde, mais quels beaux paysages et quelle splendeur de l'océan et des montagnes! Murdochville, qui fait tant parler d'elle aujourd'hui parce qu'on veut l'abandonner, ville de minerai qu'on a exploitée jusqu'à ce qu'il n'en reste plus rien. C'était alors un centre plein d'activité où on avait scalpé les montagnes autour en laissant s'échapper des émanations mortelles pour la végétation. La petite localité de Percé d'un côté, Rivière-au-Renard de l'autre, et tant d'autres qu'on n'oublie jamais tant elles sont belles! Cependant, je soutiens toujours que c'est loin. Ce n'est pas pour rien que les Mi'kmaqs ont nommé Gaspé « fin de notre territoire » ou « l'extrême limite du territoire », le bout de la Terre, en somme...

C'est dans le but d'échapper à cette lypémanie que je lisais les journaux, désireux de me tenir au courant de la vie ailleurs et, si ma mémoire est bonne, ils arrivaient une journée plus tard que la date de leur impression. C'est dire la distance! Mais c'était mieux que partout ailleurs pour le reste. Les écoliers étaient tranquilles et studieux. Les paysages étaient splendides. C'est sans doute la raison pour laquelle j'ai tenu deux ans. Deux années longues comme un rouleau de ficelle de magasin, comme disait mon père.

On commençait déjà à beaucoup parler de l'Exposition universelle et on imaginait que le maire Jean Drapeau, premier magistrat de Montréal, allait rétrécir le fleuve Saint-Laurent à grands coups de camions de pierres et de terre et construire des monuments grandioses sur les rives, car Monsieur Drapeau voyait grand. En paradis, il attend son concepteur artistique pour refaire le trône du bon Dieu en saphir et en poudre d'anges (wow! qu'est-ce que je suis en train d'écrire là!). Dans ce temps-là, il voyait le monde entier converger vers Montréal pour contempler les réalisations de l'Exposition universelle. C'est à lui d'ailleurs que nous devons le Stade olympique, qu'il fit construire selon les plans de l'architecte français Roger Tallibert.

Mais nous étions encore en 1966, et tous ces projets étaient à l'état de rêve. Même si on avait déjà commencé à ériger des pavillons gigantesques qui représenteraient tous les pays, il restait tant à faire. Ça nous impressionnait beaucoup quand on en parlait à la télévision.

Un soir, après mes classes, en lisant *Le Devoir*, je fus attiré par un entrefilet: Prix Hachette & Larousse 1967 avec la collaboration d'Air France et de la Compagnie Générale Transatlantique.

Il fallait, pour participer à ce concours littéraire, écrire un texte d'une soixantaine de pages sur le thème : « Indiquez une personnalité française qui, au cours des siècles, a contribué le plus au progrès de la Terre des hommes. Motivez votre choix. » *Terre des hommes* était le thème d'Expo 1967. Ça tombait bien pour mousser la grandeur française de ce côté-ci de l'Atlantique !

Je me mis aussitôt à la recherche de ce personnage. Grimpé sur le haut de la Gaspésie, je mis ma main en visière sur mes yeux et cherchai quelqu'un qui aurait eu l'expérience que je vivais : l'exil. Nul ne pouvait mieux convenir que Charles de Foucault, ce Français qui vécut dans le désert en Algérie. J'étais fasciné par la vie de cet homme solitaire et original sur les bords. Pourquoi me suis-je intéressé à ce religieux fondateur des Petits frères de Jésus ? Il avait du tempérament et ça me plaisait. Le symbole de son association avait déjà quelque chose de nouveau : un cœur surmonté d'une croix brodé en rouge vif sur une bure de pères blancs ou une bure de chartreux. Ça flashait, laissez-moi vous dire ! Il fut vite très populaire et il y avait quantité de documents relatant son cheminement humain et spirituel que l'on pouvait obtenir dans la bibliothèque du couvent des Ursulines. Foucault fut aussi écrivain, ce qui m'intrigua. Qu'écrivit-il? Dans un style de vulgarisateur, quelques ouvrages scientifiques, dont un dictionnaire, un Atlas, un essai grammatical français-arabe et une vie de Jésus. Il y avait aussi du Pierre Vallières en lui : si ce Québécois se contenta d'écrire sur les nègres blancs d'Amérique, Foucault composa : *L'Évangile présenté aux pauvres nègres du Sahara.* Malgré que je considère cet ouvrage légèrement condescendant à cause, sans doute, de son côté religieux qui parfois excelle dans la didactique ancrée sur la vérité des uns et la mésestime des autres, il excella en vrai poète dans les traités sur l'amour divin. « Nous sommes faits pour renaître et repartir », prétendait-il. Il avait une écriture agréable, sans la lourdeur qu'on peut craindre dans ces sortes d'ouvrages.

Charles de Foucault est né à Strasbourg en 1858. Son histoire ressemble par plus d'un côté à celle de François d'Assise. Orphelin à six ans, il fut élevé par son grand-père, le colonel de Morlet. Adolescent, il cessa de croire, ce qui n'a rien d'étonnant puisque c'est l'âge où l'on remet tout en question. C'était plutôt un bon vivant et un jouisseur. Il mena grande vie à l'école militaire de Saint-Cyr et à l'école de cavalerie de Saumur. Il parvint au grade de sous-lieutenant, mais fut renvoyé de l'armée pour indiscipline et inconduite notoire.

Son grand-père étant colonel, vous pensez bien qu'il réintégra la vie militaire et, selon son désir, on l'envoya en Afrique où il fut conquis par la solitude et le silence. Revenu en France, il écrivit des pages très belles et fort poétiques sur le désert. Il fut tellement impressionné par cette expérience qu'il retrouva la foi, donna toutes ses possessions et entra en 1890 à la trappe de Notre-Dame-des-Neiges, en France, pour être ensuite acheminé à celle d'Akbès en Syrie. Ce n'était pas assez de renoncement pour lui. Il décida d'aller en Terre sainte et servit pendant trois ans au couvent des clarisses de Nazareth et de Jérusalem.

En 1900, il revint en France à Notre-Dame-des-neiges et fut ordonné prêtre, puis décida de retourner en Afrique où il s'installa à Béni-Abbès. Son besoin de solitude l'amena, en 1905, au désert et il s'établit à Tamanrasset dans le Hoggar, en Algérie, dans un très pauvre ermitage. Ce qui ne l'empêcha pas de fréquenter les Français de passage et les Touaregs, cherchant à établir la paix entre les deux groupes. Le 1er décembre 1916, il fut assassiné par des bandits itinérants.

Charles de Foucault m'a toujours paru étonnant. Je ne sais pas pourquoi, j'ai été fasciné par lui — il ne s'agissait pas d'une question religieuse, mais bien d'une question littéraire, du moins, je l'ai toujours cru —, le fait est que j'écrivis mes soixante pages et je les oubliai complètement après les avoir envoyées. J'imaginais que je n'étais pas le seul à avoir participé à ce concours et que j'avais bien peu de chance de l'emporter surtout que j'étais complètement inconnu, n'ayant jamais publié, sauf un poème dans un collectif lorsque j'avais quinze ans: *Sur le rocher de la tristesse* aux éditions Nocturne.

Ce ne fut pas sans surprise que je reçus en avril 1967 une lettre qui disait à peu près ceci : *« Nous sommes heureux de vous faire savoir que notre jury vous a décerné un de ses Prix. Il vous sera remis solennellement le 15 mai prochain à 17 heures au Pavillon de la France de l'Expo 67 à Montréal par Son Excellence Monsieur l'Ambassadeur de France au Canada. Nous espérons vivement que vous pourrez être présent à cette manifestation culturelle franco-canadienne. »*

Je mesurai soudain qu'il fallait être d'une naïveté extraordinaire pour avoir fait un travail littéraire sur un personnage religieux et être sélectionné pour un prix en plus ! Il faut croire que j'avais le sens de la recherche et que j'écrivais déjà bien, du moins je préfère le croire, ou bien qu'on manquait de candidats, quoique ce prix ait été décerné à partir de 1958 au Japon, en Grèce, au Brésil, en Iran, en Suède, aux États-Unis, en Argentine, en Grande-Bretagne, au Portugal et finalement en 1967 au Canada, car à l'époque, on ne parlait pas du Québec. Ce n'était pas encore la mode chez les Français.

Le jury avait quelque importance: Maurice Genevoix, Jérôme Carcopino, André Chamson, de l'Académie française; Roland Dorgelès, Gérard Bauer, de l'Académie Goncourt; Yves Gandon, président du Pen Club français, et d'autres gens de lettres d'une certaine notoriété.

J'avais gagné un prix et j'étais dans la liste des lauréats, mais certainement pas dans les premiers. Tel que promis, je reçus comme récompense une collection imposante d'ouvrages édités par la Librairie Larousse et par la Librairie Hachette.

Et qui avait gagné le premier prix? Victor-Lévy Beaulieu. Son travail concernait Victor Hugo. Déjà, ce diable d'homme de lettres québécois écrivait d'imposants ouvrages avec l'originalité qui est toujours sienne, et je pense me rappeler qu'à cette occasion il avait dit vouloir écrire autant que le grand poète français, lui qui a déjà parlé de l'obsession du livre impossible, probablement celui qu'on voudrait écrire avec génie et qui ne finirait plus parce que tout le monde voudrait le lire. Je ne sais pas, mais je l'imagine.

Parmi la liste des lauréats, dans la même catégorie que moi, un autre écrivain a continué sa carrière : il s'agit de Jean-Paul Daoust, poète bien connu et, aux dernières nouvelles, encore très actif dans le milieu littéraire québécois.

De retour à Gaspé, je fus reçu comme un personnage d'importance. Un écrivain ! Imaginez-vous, je n'avais rien écrit d'important encore, excepté pour remplir un tiroir de ma commode, mais cette mention toucha mes élèves et leurs parents et on me fêta en organisant une petite soirée en mon honneur. C'est la seule fois dans ma vie que cela m'est arrivé. Car, oui, j'ai ceci de particulier que je n'ai jamais fait de lancement de mes livres, sauf pour une exception ou deux. Et les prix que j'ai reçus me furent expédiés par la poste !

Mes élèves de deuxième secondaire avaient écrit, avec l'aide des professeurs et de la directrice, des poèmes ou des textes pour me complimenter. J'en ai conservé un et je le retranscris ici, même si aujourd'hui il paraît un peu naïf (la naïveté est une qualité de cœur bien souvent) :

Mon professeur de français

Mon professeur de français
Est parti samedi pour Montréal;
Il recevra des mains d'un ambassadeur
Un beau prix dont il sera fier.

Il était pressé de partir,
Car, pour lui, c'était un beau jour.
Il sera applaudi
Par les gens d'ici.

J'espère qu'à son retour en classe,
Il nous relatera son voyage.
D'être aussi intelligent
Doit lui paraître suffisant.

Et c'est ainsi que je termine
Bien sincèrement en souhaitant
Que notre professeur de français
Continue d'écrire
Et aussi qu'il continue
D'essayer de nous faire comprendre
Et aimer notre merveilleuse langue.

L'enseignement, même si c'est un métier exigeant et pénible sous certains aspects, nous offre parfois de ces petites consolations!

Ce petit (oh! combien petit) succès littéraire, car il y avait dedans plus d'envolées poétiques que de notes biographiques proprement dites sur Charles de Foucault, me stimula.

J'écrivis pendant toute une année un roman, *Le bout de la solitude,* qui jusqu'à ce jour n'a pas encore été publié. C'était l'histoire d'un jeune libraire accusé de meurtre et qui finissait par mourir de la tuberculose sans avoir été innocenté.

Puis, j'entrepris d'écrire un ouvrage, *Contes ardents du pays mauve.* C'étaient des nouvelles et des récits de science-fiction, qui furent publiés chez Leméac plusieurs années plus tard.

Je voulais entreprendre une carrière littéraire, mais je m'y prenais mal. La science-fiction n'a jamais passé pour de la littérature malgré tout ce que l'on dit ou prétend. Et les auteurs de science-fiction, on aurait de la difficulté à en nommer un si ce n'est ceux qui font carrière comme Esther Rochon, Joël Champetier, au Québec, ou Isaac Asimov, aux États-Unis, ou Jimmy Guieu, en France. Je suis peut-être injuste en nommant seulement ces quatre auteurs, il y en a de nombreux autres, mais ce sont ceux-là que j'ai fréquentés.

Finalement, après deux ans, je partis de Gaspé pour retourner à Montréal. J'entrepris en même temps de compléter ma pédagogie à l'École normale de Rigaud-de-Vaudreuil. J'y passai une année alors qu'il en fallait quatre pour un baccalauréat. Il faut préciser que le cours classique m'avait donné un sérieux coup de pouce et avait raccourci les années d'études en pédagogie. Inutile de dire que j'ai dû travailler fort et que je fus bien aidé par les professeurs de cette vénérable institution.

Muni de ce baccalauréat en enseignement, je fis pendant l'été 1969 le tour des commissions scolaires et je finis par fixer mon choix sur celle de La Vérendrye à Val-d'Or. Décidément, l'éloignement ne me faisait pas peur.

Je me rendis donc à Val-d'Or et me vis attribuer quatre classes de français en troisième secondaire. Ce n'étaient pas des élèves difficiles, je pus donc me consacrer à l'écriture en toute liberté. Or, il s'adonna que justement, tout en écrivant des nouvelles, des contes, je fus frappé par une inspiration que me donna un élève dans un cours. Il s'agissait de l'expression orale à laquelle était soumis chacun des étudiants dans ce que l'on a appelé bêtement le programme-cadre, ce qui prouve que les fonctionnaires n'ont guère d'imagination! Les écoliers choisissaient un sujet et venaient en parler devant la classe. L'un d'eux avait choisi les soucoupes volantes. Imaginez-vous donc! Les soucoupes volantes! On commençait à en parler beaucoup dans ces années-là. Les journaux étaient pleins de ces histoires. Les élèves se moquèrent du pauvre garçon qui avait osé choisir ce thème. Je le défendis du mieux que je le pus, car il avait bien fait son travail et s'était montré intéressant. On sentait qu'il avait lu et était passionné par cette question. Après la classe, il me demanda mon opinion. Je ne pus la lui fournir, étant donné que je n'avais rien lu sur le sujet. Alors il me passa quelques-uns des livres qui lui avaient servi pour son travail. Je les pris pour ne pas le blesser. Un fois dans mon appartement, je les déposai sur un guéridon et les oubliai. Puis, un bon soir, mes yeux s'arrêtèrent sur *Mystérieux objets célestes* d'Aimé Michel, un astronome français. Je fus fasciné par cette lecture. J'y pris goût et en parlai à mes élèves. Et on commença à me raconter des témoignages. Je crus bon de les noter, parce que c'était un exercice d'écriture assez agréable.

Je ne tardai pas à devenir une espèce de spécialiste de la question, car je retenais bien ces témoignages, ces comptes rendus et ces études. Je donnai même des conférences devant des salles pleines. C'est ainsi que naquit le premier livre que je publiai. Yves Dubé, directeur des éditions Leméac, entendit parler de la chose par le libraire de Val-d'Or, gérant de la Librairie du Nord, Denys Chabot, lui-même écrivain qui, quelques années plus tard, publia quelques romans qui reçurent des prix, y compris celui du Gouverneur général. Je me vis donc invité par Monsieur Gérard Leméac, propriétaire des éditions, à lui parler de mon manuscrit, et pour ce faire, il vint à Val-d'Or. Je défendis mon écrit, mais je m'aperçus que c'était inutile: Gérard Leméac y croyait, lui, aux soucoupes volantes et aux extraterrestres. C'est ainsi que parut quelques mois plus tard *Tout sur les soucoupes volantes.* Le titre était prétentieux, mais, à ma décharge, ce n'était pas moi qui l'avais choisi.

Ce fut un succès de librairie. Il fut même distribué en France et mon éditeur affirma en avoir vendu 33 000 exemplaires, ce que je pus constater lorsque je reçus mes droits d'auteur. Le chèque que me remit l'éditeur Leméac me jeta littéralement à terre. Je pus m'acheter une voiture comptant! Depuis, je les loue comme tout le monde!

Nous étions en 1972. L'été suivant, toujours chez Leméac, parut *Contes ardents du pays mauve*, écrit à Gaspé et qui concernait la science-fiction. Ce livre fut bien reçu et fut traduit en anglais. Son tirage atteignit les 3 000 exemplaires. Il fut descendu dans *Le Jour*, un journal éphémère, sous prétexte que ce n'étaient pas des contes mais des nouvelles. J'étais mal parti si je voulais faire une carrière littéraire…

Inutile de dire que ces sortes d'ouvrages ne servent pas généralement à asseoir la profession d'écrivain ! Pendant ce temps, Yves Dubé, directeur des éditions Leméac aujourd'hui décédé, me pressait d'écrire un autre livre sur les soucoupes volantes. Je résistai quelques années, car je savais que ce serait un foutu travail pénible à cause de la recherche qu'il faudrait encore effectuer. J'aimais mieux écrire des poèmes, du théâtre et des contes, des nouvelles et des romans. J'enseignais aussi, ce qui me laissait peu de temps. Les recherches surtout me faisaient peur, mais finalement je cédai et c'est ainsi que vit le jour *Les Humanoïdes ou les cerveaux qui dirigent les soucoupes volantes*. Ce fut un autre succès de librairie puisqu'on en vendit plus de 8 000 exemplaires, on en parla beaucoup, plusieurs articles de journaux parurent, je dus faire plusieurs voyages à

Montréal pour des émissions de télévision. On me surnomma « l'homme du bizarre ». Les critiques se déchaînèrent. Parfois, c'étaient des louanges dithyrambiques, parfois un éreintement pur et simple, selon que les critiques s'intéressaient plus ou moins à la question. Je savais que cette étude sur les soucoupes volantes et les extraterrestres nuisait beaucoup à ma carrière littéraire, mais il me fallait l'assumer, car j'y prenais plaisir. Sans me prononcer, puisque je ne sais pas encore aujourd'hui si c'était sérieux ou non, et je n'ai pas découvert quoi que ce soit qui m'aurait installé dans une certitude de l'existence ou de la non-existence de ces objets venus d'ailleurs dans la galaxie. En plus, je n'ai absolument rien d'un raëlien.

Nous étions en mai 1978 et *Les Humanoïdes* avait paru en novembre 1977. Je reçus un appel téléphonique pour le moins étonnant. Yves Dubé, toujours directeur littéraire chez Leméac, me retint une heure. Il me dit que j'étais invité au Festival du livre de Nice et essaya de me convaincre d'aller en France. Le choix avait été fait par les éditeurs québécois. J'en fus éberlué. Et honoré. Je ne savais pas ce qui m'attendait! Mon livre était dans les trois titres locomotives, c'est-à-dire que je devais par mon œuvre faire vendre les autres livres québécois présents au stand du Québec à la Foire du livre de Nice. Les deux autres auteurs, un romancier, Normand Rousseau, pour *L'Ombre des tableaux noirs*, paru chez Tisseyre, et Pierre Perreault, pour *Gélivures,* paru à l'Hexagone. Pierre Perreault, le cinéaste de génie, devint un ami. Un essayiste et poète, critique littéraire dans *Le Devoir,* écrivit un long article, le 5 mai, dans lequel il me descendit en flammes: «... Quant à l'essai choisi comme locomotive, plusieurs le trouvent "étrange": il s'agit en effet des *Humanoïdes* de Jean Ferguson, édité chez Leméac. Certains professionnels du livre vont jusqu'à mettre en doute l'intérêt et la qualité de ce livre pour faire la promotion de l'édition québécoise en Europe.» Par ailleurs, le 16 mai, toujours dans *Le Devoir,* on put lire: «[...] *Les Humanoïdes*, de Jean Ferguson, pose de passionnantes questions sur les rencontres du troisième type en laissant au lecteur le soin de conclure. »

Mon livre avait été choisi parmi 20 autres titres dont plusieurs étaient de très bons livres sans doute nettement supérieurs au mien.

Mais qu'y pouvais-je? Je pensais ne pas y aller au début, mais Yves Dubé insista beaucoup, et même Monsieur Leméac me demanda instamment de me rendre à Nice. D'une part, je me sentais attiré par la France et, d'autre part, j'avais l'impression d'être de trop. Et tous frais payés en plus par le gouvernement du Québec.

Par ailleurs, il y avait, parmi les invités au Salon du livre de Nice, Denis Vaugeois, ministre des Affaires culturelles du Québec, Anne Hébert, Pierre Perreault, Marie-Claire Blais, Gaston Miron, Victor-Lévy Beaulieu et beaucoup d'autres dont j'ai oublié les noms.

La polémique s'enferra lorsque je mis le pied en France, le 7 mai 1978. Le critique du *Devoir* eut raison d'écrire qu'au stand du Québec, sauf Perreault, nous étions, les deux autres, de parfaits inconnus.

Pour Victor-Lévy Beaulieu, l'auteur de *Blanche forcée* pour cette année-là lancé par Flammarion, le critique du *Devoir* écrivit que non seulement était-il connu, mais grâce à Dieu il fut pris en charge par une agente littéraire de la maison d'édition française, qui connaissait le milieu et le métier. Ainsi donna-t-il des entrevues en France.

Quant à Rousseau et moi, nous n'étions annoncés nulle part au Festival du livre de Nice, et le critique du *Devoir*, encore une fois, eut raison d'écrire: « [...] qu'on se sentait comme des chiens dans un jeu de quilles. Tous les deux m'assaillent dès mon arrivée: "Qu'est-ce qu'on fait là?" Ferguson finira par trouver avec l'aide de l'agent littéraire de Leméac en Europe le filon pour quelques entrevues. Le reste du temps, il le passera à prendre des photos-souvenirs pour ses amis abitibiens. »

Nos éditeurs étaient la plupart du temps absents. Le 26 mai, revenu au Québec, je pus lire dans *Le Devoir*: « Le Québec à Nice, un échec ». C'était douloureux d'avoir vu la France dans ce constat. D'ailleurs, je n'ai pas honte de l'écrire, j'ai vu vendre un seul de mes volumes au stand du Québec, pas plus. Et les autres auteurs ne m'ont pas semblé plus chanceux. Alors, un livre aurait pu être un chef-d'œuvre sur n'importe quoi, il n'aurait pas eu plus de succès.

Victor-Lévy Beaulieu écrivit dans *Le Devoir* un long article pour situer les choses. Il s'interrogeait sur le choix des trois ouvrages locomotives et, à part Perreault qui était connu, son recueil de poésie était un bon choix, mais Rousseau et moi étant de parfaits inconnus il y avait lieu de se poser des questions. Que nous ayons été choisis par l'Association des éditeurs canadiens ne pouvait surprendre personne : Yves Dubé de Leméac, où j'avais été publié, était le président, et Rousseau publiait au Cercle du livre de France de Pierre Tisseyre, cet éditeur qui était vice-président de l'association des éditeurs canadiens. Le choix des livres avait été intéressé. Et pourquoi pas ? Depuis que je suis en littérature, j'ai vu tellement de choix de cet ordre. Par exemple, les prix du Québec qu'on décerne à des ouvrages à peine littéraires. Et le prix du Gouverneur général, qu'on décerne à des auteurs connus et rarement à des écrivains valables mais peu connus.

Yves Dubé et Yves Leclerc de la délégation générale du Québec à Paris ont essayé d'atténuer l'effet de la blessure cruelle que m'infligèrent ces événements. Yves Dubé: «Tu es peut-être un écrivain de Leméac, d'accord, mais il faut s'entendre...»

Yves Leclerc: «Écoute, Jean, tu passes facilement. Tu as une bonne bouille sympathique...»

Quant au critique du *Devoir*, il m'avoua qu'il n'avait pas lu mon livre, qu'il ne visait pas l'homme, etc. Il me confia aussi qu'il avait suggéré à un journaliste pigiste, Jean-Michel Wyl, un article quelques semaines plus tôt, soit en avril: «Jean Ferguson, l'homme du bizarre».

Il n'avait pas besoin de me dire tout ça, je savais déjà que mon livre valait ce qu'il valait, que surtout ce n'était pas de la littérature, mais un essai honnête, fruit d'une recherche intensive sur un phénomène social de notre temps. Je demeure sur mes gardes quant à l'idée qu'on doive imposer ses propos ou ses croyances. Je l'ai déjà écrit : il y a tellement de livres à lire qu'une vie n'y suffirait pas et il y en a qui, malgré qu'ils soient bien écrits, ne nous intéressent pas. C'est dans l'ordre des choses. Quant au choix d'un livre ou d'un autre pour un prix, il est subjectif, ça ne peut être autrement. Je doute qu'un écrivain soit supérieur à un autre. Pourvu qu'il ait un style, qu'il soit passionné par son sujet et surtout qu'il sache écrire. Je parle ici d'écrivains et d'écrivaines, pas d'écrivaillons, quoique, encore là, j'ai vu des livres mal écrits recevoir des honneurs et des louanges. Il y a des livres dont on ne comprend pas un traître mot, dont la structure est déficiente et qui pourtant voient leur auteur considéré comme un grand écrivain. Pourquoi donc ? Mystère du monde des lettres…

Il me reste de bons souvenirs de Nice. Par exemple, d'avoir été dîner, à La Rascasse, rue Saléda, du côté du marché aux fleurs. La patronne, Louise La Lousse, nous a reçus aimablement. Avec un nom pareil, elle aurait eu tort de faire autrement!

Assistèrent à ce dîner Victor-Lévy, le ministre Vaugeois, son épouse, son chef de cabinet, Naïm Kattan, Paulette Chénard, une des hôtesses du stand québécois, Pierre Perreault, Gaston Miron et Yves Leclerc de la délégation du Québec à Paris.

Nous étions assis de cette façon: j'étais placé aux côtés de Victor-Lévy, qui lui faisait face à Naïm Kattan. Ensuite, venaient le ministre, Yves Leclerc, les deux dames accompagnant le ministre, et l'hôtesse.

Au début, l'atmosphère était fort tendue entre Naïm et Victor-Lévy. J'ai cru comprendre que c'était à cause de subventions refusées aux éditeurs par le Conseil des Arts du Canada, dont Naïm était le directeur.

La guérilla a continué pendant tout le repas. Victor-Lévy ne buvait pas; chose curieuse, même si j'ai rarement ouvert la bouche, il a semblé m'apprécier, car il a commandé une bouteille d'un très bon vin expressément pour moi.

À la fin, excédé, Naïm a changé de table et il est allé s'asseoir avec Perreault et un photographe de la délégation du Québec à Paris qui venait d'arriver.

Je suis resté seul avec Victor-Lévy et il a tenu avec moi une conversation très agréable. Nous avons parlé d'édition et de ses romans ; quoique assez jeune, il avait déjà plusieurs œuvres à son actif.

Le ministre Vaugeois s'est immiscé dans cet entretien pour proposer à Victor-Lévy une série historique, peut-être pour la télévision, je ne me souviens plus.

Vaugeois a dit :

— Il y a quelque temps, un dimanche en ouvrant la télévision, j'ai eu la surprise de tomber sur un téléthéâtre écrit par toi...

— Ah ! c'est comme ça que je vous ai eu : par la surprise !

Après un échange sur tout et sur rien, j'ai continué à m'entretenir avec Victor-Lévy. Il m'a confié qu'il avait mis un mois et demi à composer une émission de télé dont le titre était : *In terra aliena*. C'était très bien pensé, je lui ai dit. C'est d'autant plus facile qu'il est un excellent scénariste. De toute façon, je ne le lui aurais pas dit si je ne l'avais pas pensé. J'ai toujours eu horreur de dire des choses sans les sentir. De toute façon, j'ai remarqué chez lui une espèce de gêne quand on le complimente.

Je lui ai signalé que j'avais lu dans une revue française qu'il avait changé de nom par admiration pour Victor Hugo (en 1967, pendant l'Exposition universelle, Victor-Lévy avait remporté le premier prix pour une œuvre sur Victor Hugo, justement). Il s'est emporté :

— Ce n'est pas vrai ! C'est tout à fait faux, je me suis toujours appelé Victor-Lévy Beaulieu !

Puis, je lui ai fait aussi remarquer qu'il ne fait jamais mention d'enfants dans son œuvre. (Depuis il s'est bien repris puisque qu'on a eu sous sa plume l'admirable Bouscotte.)

— J'ai horreur de ceux qui écrivent sur les enfants, protesta-t-il.

— Tu ne dois pas aimer Gilbert Cesbron, alors? Et François d'Assise qui a dit: «Et si Dieu était un enfant?»

Il me fit une moue éloquente.

Le ministre Vaugeois revint à notre conversation. Il trouvait étonnant que je dise que Leméac était l'éditeur le plus honnête du Québec.

— Je ne suis pas d'accord! Il y en a d'autres qui le sont. Toi, Victor-Lévy, tu paies tes droits d'auteur?

— Non, répondit Victor-Lévy, qui pouffa de rire.

6A

De l'influence de la littérature à la littérature qui influence

Je me suis consacré à la littérature
dans un pays qui ne peut pas
la respecter puisqu'il ne la connaît
absolument pas.
Je l'ai présentée à des êtres d'exception
qui m'ont fait l'honneur
de lui donner mon nom.

La littérature a toujours été un domaine étrange où seuls pénètrent de rares initiés. On ne parle jamais littérature avec son plombier. Tout au plus discutons-nous d'un roman s'il lit, mais souvent il nous parle du livre que lit sa conjointe et il ignore s'il est dans le domaine de la littérature ou non. Il connaît rarement ce que signifie ce mot. Souvent un livre, ce qu'on appelle un best-seller, dont le sujet est une histoire d'amour, écrit par Madame Dubreuil de Saint-Winsilas de l'Irlande ou un roman traduit de l'américain et écrit par une avocate, femme de lettres possédant un château de onze salles de bains et de trois ascenseurs, n'a rien à voir avec la littérature. La littérature n'a rien à voir avec la facilité. Elle est plutôt, comme Miron le clamait de sa voix de stentor, un excellent instrument de supplice. Imaginez : on doute toujours du mot qu'on vient d'écrire et les dictionnaires de synonymes sont heureusement là pour nous sortir du doute.

La littérature se vend peu. Qui achète de la poésie, sauf celle qui s'étend dans la facilité et comme on dit qui n'est pas difficile à comprendre ? La poésie qui concerne la littérature se lit lentement, avec suavité, parce que son rôle n'est pas d'expliquer. Verlaine avait raison de dire que la poésie est d'abord de la musique. De même pour le théâtre, le roman ou toute espèce d'écrit où l'on trouve une certaine grandeur d'esprit dont les mots sont la richesse.

Je n'aurais jamais la prétention de penser que tous les livres que j'ai écrits sont littéraires. Pas du tout. Mais la poésie, les romans, les pièces de théâtre que j'ai commis sont du domaine de la littérature. Ça, je le sais. Si j'étais méchant, je dirais que la preuve en est que ces derniers ouvrages ne se vendent pas. Mais non, c'est tout simplement parce que les choses que j'exprime sont du domaine intellectuel. C'est cela la littérature, la recherche intellectuelle au service de l'imagination.

Il arrive qu'on ne puisse même pas parler de littérature avec des écrivains, car chez eux aussi on trouve des phénomènes de rejet et de refoulement sous prétexte de ne pas faire populaire, car en tout écrivain il y a ce désir d'être facile à lire et d'être la voix des gens ordinaires. Encore une fois pour être lu sans doute. Or, la littérature paraît savante et inaccessible à certains. Elle semble s'appliquer à la lecture des auteurs difficiles à comprendre. Il est curieux toutefois de constater que ces mêmes gens ordinaires ont des aspirations proches de celles des écrivains pour faire grandir ou changer la société et, paradoxalement, qu'ils retiennent rarement ou peu souvent le nom de l'auteur d'un livre qu'ils sont en train de lire ou qu'ils ont lu et qui influence les idées du moment. Mais n'ayez pas le malheur de ne pas connaître leur nom ! Ils vous traiteront de béats ou d'insignifiants. Or, on écrit pour faire aimer sa façon de raconter et peu importe qu'on oublie qui raconte. Si on aime un de mes livres, je me fiche bien que mon nom revienne automatiquement à la mémoire du lecteur ou de la lectrice.

La littérature, surtout si elle est combattante comme dans les œuvres d'Andrée Ferretti ou de Gaston Miron, marque grandement les idées et les changements politiques d'un peuple. Miron a été pour beaucoup dans l'aspiration présente du peuple québécois à devenir indépendant et il faisait de la littérature dans ce sens qu'il voulait qu'on l'accepte dans toute la dimension de sa pensée. Le désir d'un pays nous pousse à l'écrire. Les mots habillent certains textes, c'est pourquoi ils changent le monde quelquefois. On serait peut-être étonné de découvrir combien de votes positifs au dernier référendum québécois étaient dus à la fréquentation des poètes ou des écrivains dans la mouvance de ces auteurs. La littérature suppose un monde idéal que l'on voudrait possible. C'est pour cela que, mondialement, l'écrivain est souvent victime de discrimination de la part des politiciens de différentes allégeances.

On a peu de respect pour les écrivains dans notre propre société. Dans les systèmes de dictature, les écrivains payent souvent par la prison ou de leur vie le courage d'exprimer leur désir de changement de la société. Quelques-uns en réchappent, comme Havel, écrivain et homme de théâtre, devenu président de son pays, mais c'est rare.

Les auteurs qui, par leur connaissance des mots et par leur écriture, sont littéraires ne sont pas toujours faciles à lire, ça il faut l'admettre. Mais il arrive qu'ils le soient. Gabrielle Roy, par exemple. Ils ont « un style », dit-on parfois. C'est parce qu'ils sont différents, qu'ils ont une personnalité qui se démarque de celle des autres. Les écrivaillons, eux, remplissent des lignes dans l'à peu près et le n'importe comment. Les vrais écrivains ont un esprit et la littérature est toujours une question d'esprit. Mais l'esprit, c'est quoi au juste ? C'est simplement ce qui fait la plénitude de la rencontre d'êtres humains et de l'expression de la pensée dans son contact avec les autres.

Encore faut-il lire ces écrivains. Je me souviens d'avoir, il y a peu, discuté de littérature avec un écrivain français auteur d'une centaine d'ouvrages, ce qui n'est pas peu. Or, il me disait qu'il ne lisait jamais d'autres auteurs par crainte d'être influencé dans sa propre écriture. Il exprimait une idée qu'on trouve chez la plupart des auteurs nés dans une période d'inculture où règnent le remplissage, l'ignorance, la banalité, les idées toutes faites, pleines de clichés et de propos qui frisent la bêtise et dont la plupart des livres, car chacun écrit son livre aujourd'hui, sont imbus et sont les fidèles échos de toutes les prétendues guérisons de l'âme et du corps. Nous ne sommes plus alors dans la littérature, car la littérature signifie imaginaire et beauté, création d'un monde qui apporte du plaisir à l'esprit.

Comment peut-on se prétendre écrivain et ne pas connaître ses classiques (en traduction, il va de soi), les grecs, les latins, ou les autres, qu'ils soient français, anglais, allemands, russes, les Anciens et les Modernes? Les grands auteurs québécois, canadiens ou américains ? Ceux d'hier et ceux d'aujourd'hui ? Ne pas les lire, c'est inconcevable. Je dois tant aux écrivains que je fréquente chaque jour depuis l'âge de neuf ans. Ils m'ont convaincu que le rêve et la fantaisie occupent une place importante dans la vie de l'esprit, de même que les idées nouvelles qui changent la face du monde.

C'est le rôle de la littérature de faire rêver à des mondes meilleurs ou plus simplement de changer les structures de la réalité trop lourde à supporter. D'ailleurs, il n'y a rien de nouveau sous le soleil et les phrases de l'écrivain ont souvent été écrites ou dites avant lui depuis le début du monde. L'influence des autres affine nos perceptions, les rend acceptables, car chacun a sa manière de s'exprimer, qu'il faut polir sans cesse comme le suggère le vieux Nicolas Boileau. Nous sommes des créateurs de mondes et souvent de paradis artificiels. C'est pourquoi la perfection ne nous est pas étrangère.

Je me souviens, et ce n'est pas si loin, mais c'était le premier écrivain régional à avoir une certaine notoriété, un style et une personnalité, oui, je me souviens de l'état de grâce que je ressentis en lisant pour la deuxième ou troisième fois de suite Suzanne Jacob dans son *Flore Cocon.* Beaucoup d'autres écrivains québécois venus de l'Abitibi profonde ont fait leur marque en littérature. J'en lis quelques-uns régulièrement. Je relis le poète Daniel Boisvert et Claude Boisvert, deux écrivains peu connus, mais quels écrivains! Ils ont souvent publié à compte d'auteur, et après? Gide et Mauriac en d'autres temps ont fait la même chose avec de petits, de minuscules tirages. Ces deux écrivains sont des littéraires, et l'atmosphère qu'ils créent avec génie sait me rappeler certains événements de ma vie. Ils parlent de la femme, de la vie, tout comme Nelligan qui a lui aussi parlé de sa mère, de ses amis, de ses peurs et des folies qui nous guettent en chemin. Ce qui est intéressant chez ces écrivains et en fait des littéraires, c'est d'abord et avant tout la force de leurs mots soutenus par le désir de s'exprimer tel qu'ils le conçoivent au moment où ils écrivaient, car ils savent eux que toute impression est fugace.

J'ai été fortement influencé par les écrivains de ma jeunesse, ça je le sais parce que je me souviens des aventures qu'ils me racontaient. De bien belles heures dans un monde plein du raffinement de l'imaginaire.

J'ai mentionné ces auteurs mais, pour être juste, il me faudrait porter à l'attention beaucoup d'autres et je suis le premier à n'être pas blessé de n'être pas lu quoique je désirerais le contraire. L'internet est apparu et j' y consacre du temps comme chacun de mes contemporains. Une enquête récente d'un serveur connu révèle qu'avec internet, vingt-trois pour cent des gens qui étaient de fidèles lecteurs ne lisent plus et ne fréquentent plus les librairies et les bibliothèques. On oublie peut-être combien on peut lire d'œuvres d'écrivains sur internet. On y trouve même des œuvres d'écrivains connus. Donc, pour ma part, je crois que l'influence littéraire est plus présente que jamais même sur internet et peut grandement donner le goût de la lecture aux plus jeunes. Et des écrivains auxquels on n'aurait pas accès dans nos bibliothèques bien souvent.

Je ne suis pas né dans un milieu propice à la compréhension de l'idée même de littérature, mais la muse Polymnie devait présider à mon destin. Mes grands-parents lisaient et l'avaient appris à mes parents, ce qui était rare à l'époque. Mais ils auraient été bien malpris si on leur avait demandé la définition de la littérature. Mes parents fréquentaient assidûment la nature et ils m'ont appris la grandeur que recèlent les mots de la langue tandis que ma grand-mère m'initiait au français avec l'aide de l'*Almanach franciscain*, une revue mensuelle très bien faite où la poésie et l'imaginaire l'emportaient sur la religion et la morale. Je crois sincèrement que cette revue était littéraire même si elle était truffée de bons sentiments. Les religieuses du couvent de Listuguj me prêtaient la comtesse du Ségur, dans la fréquentation de laquelle j'appris tant de nouveaux mots et où je m'évadais dans un monde inconnu de moi et qui m'emportait loin dans le cercle magique de mon imaginaire. J'étais devenu un écolier rêveur, peu attentif aux matières autres que le français, où je fus rarement deuxième. Pourquoi ? Je l'ignore absolument. Je suis persuadé qu'on est écrivain ou qu'on ne l'est pas. C'est une question de don naturel.

Ah, la signification des mots ! Car la littérature, c'est d'abord et avant tout l'histoire des mots. Il n'y a rien de plus passionnant que d'aller à l'origine d'un mot. Par exemple, dans un domaine que je connais bien, les mots Agniers ou Iroquois sont la version française ancienne et ils signifiaient « vipère » ou « serpent », pas dans le mauvais sens, mais dans le bon. Devenus Mohawks sous l'influence anglaise, ils donnaient eux-mêmes ce substantif aux Sioux. *Naskapi*, pour sa part, a comme signification « hommes rudes ». C'est pour cette raison que les Naskapis se donnent un autre nom : *Ne-e-no-il-no*, c'est-à-dire « hommes parfaits ». Le terme *esquimau* n'est pas non plus acceptable, parce qu'il désigne les mangeurs de viande crue ; c'est pourquoi ceux-ci veulent qu'on les appelle Inuits, « les hommes ». L'appellation de Zoulous en Afrique veut dire « animaux », c'est pourquoi ils revendiquent de se nommer

Memna, « hommes braves ». Aussi, par dérision, il nomment les Blancs *Imnégos*, « ceux dont les oreilles reflètent le soleil ». Les Grecs avaient un qualificatif pour ceux qui n'étaient pas de leur nationalité, ils les désignaient sous le terme de « barbares », mot grec qui veut dire « étrangers », à cause de leur langue que les Grecs assimilaient aux gazouillis des oiseaux. Augustin l'Africain va encore plus loin en prétendant qu'un homme est mieux avec un chien qu'il connaît qu'avec des hommes dont il ne connaît pas la langue ! Pline, écrivain et penseur latin (67 ap. J.-C.) écrit qu'un étranger ne ressemble pas à un homme. « Chacun appelle barbare ce qui ne fait pas partie de ses propres mœurs », écrira plus tard Montaigne.

Quelle peut bien être la définition de la littérature ? Je crois que c'est Madeleine Lafond qui s'en approche le plus : « Processus qui consiste à mettre tout en œuvre pour réussir à capter l'attention du public lecteur. » Et le dictionnaire Quillet précise que la littérature, « ce sont les œuvres de l'esprit, écrites ou parlées ».

On allait même jusqu'à parler de Belles-Lettres dans le cas du patrimoine littéraire dans nos collèges et séminaires d'antan où la culture était à l'ordre du jour. Quelle belle expression! Les belles lettres comme si chacune de celles qui composent les mots et les phrases était beauté. On n'a rien qu'à imaginer ce qu'était le monde avant l'invention de l'écriture et le plaisir qu'il y a eu à tracer les premières lettres à la plume d'oie.

J'ai fait mes humanités comme beaucoup de gens de ma génération. Les humanités, c'étaient les études classiques, qui nous conduisaient tout droit vers l'apprentissage de la littérature. C'était d'abord et surtout l'étude du grec et du latin qui nous apprenait qu'il y avait eu d'autres écrivains avant nous. C'était aussi la découverte de la littérature québécoise et française. Quel bonheur j'ai ressenti en la découvrant! Nelligan, par exemple: j'avais à peu près l'âge où il quitta la poésie pour la folie, en syntaxe latine, quand un professeur me prêta son recueil. Je dois beaucoup à Nelligan. Je me promenais dans la cour du collège en récitant par cœur ses poèmes les plus marquants. Mon bulletin scolaire signala à mon père et à mes grands-parents que je m'occupais trop de littérature et pas assez des autres matières… C'est donc que mes professeurs savaient faire la différence entre l'écriture et la littérature… Mais comme prêtres, je ne sais pas pourquoi, ils se méfiaient de la littérature. Trop éloignée peut-être de la prière. Pourtant, il y a des prières qui sont très littéraires. Il est vrai qu'ils avaient un peu raison de se méfier : j'étais souvent premier en français, surtout dans les compositions françaises. Quant aux autres matières, je les négligeais et, dans certaines, j'arrivais dernier sans trop m'en faire. Les bons pères abbés me gardèrent au collège, en supprimant de mes cours de mathématiques, la géométrie et les sciences, car ils espéraient faire de moi un prêtre.

En méthode, je découvris des livres dont je me souviens encore. Car on n'avait pas le droit de lire tous les livres, on avait une liste chaque année et on ne pouvait pas passer à côté puisqu'il y avait des barrures

aux armoires où étaient précieusement en-
treposés les volumes pour chacune des années du cours classique. C'est à cette époque
que j'écrivis le premier chapitre de *Frère Immondice, trente-troisième cuisinier de l'ordre des catacombiens de la stricte réforme*, mon
premier roman et peut-être le mieux réussi.
L'humour plutôt que la religion le caractérise.

Je devins un boulimique de lecture.
Combien d'écrivains y passèrent! Aujour-
d'hui, quand je relis deux ou trois romans
qui m'ont beaucoup marqué, je retrouve les
mêmes émotions. Pourquoi ceux-là? L'un
est québécois, l'autre une traduction.

C'est ça la littérature. Elle se lève avec
le soleil et se couche avec lui.

6B

Barney Langue-Noire

— Vous le reconnaîtrez facilement, m'avait-on dit. Il a toujours un cigare planté dans la bouche comme le bonhomme Churchill.

L'avion filait avec grâce plus haut que les nuages. Je revenais au Québec après l'expérience de la Foire du livre de Nice. J'avais un profonde reconnaissance d'un tel présent, peu importe qui me l'avait fait, peu importe si je le méritais ou non. Je ne regrettais plus mes hésitations du début. J'étais entré dans le monde de la littérature en rencontrant des écrivains reconnus et déjà établis ici et ailleurs et certains étaient déjà avancés dans leur œuvre. J'avais appris des titres de livres, je les avais lus en diagonale, me promettant de les lire en entier une fois chez moi. Quoique certains littérateurs français m'aient paru outrecuidants, ceux de ma Terre-Québec m'avait paru simples et agréables, même ceux dont on disait du mal.

De moi-même, je n'avais pas un salaire qui m'eût permis de visiter l'Europe. Ce n'est pas l'enseignement qui rend riche! Je devais donc les remboursements de mes dépenses de voyage à une association d'éditeurs. Ce qui est plutôt rare.

Pendant mon séjour en France, avec un ami écrivain vivant à Alger, nous avons visité sommairement plusieurs pays, sur un pneu comme on dit, avec une petite voiture louée comme c'est l'habitude. Imaginons-nous que de Montréal jusqu'en Abitibi, on a fait presque tous les pays européens!

J'aimais voir la France par le hublot de l'avion, car lorsque les nuages disparaissaient, le soleil inondait tout, nous permettant de voir en bas comme sur une carte postale.

Ce qui ne plaisait pas à la dame qui avait pris place à côté de moi, mais du côté du hublot. Elle m'avait demandé si je pouvais lui donner mon siège et prendre le sien. J'acquiesçai. Elle fut si reconnaissante qu'elle me donna un petit présent, une pierre ramassée sur les bords de la Méditerranée.

Je vis la France défiler en petits morceaux découpés comme au ciseau dans un tissu, de couleurs toutes différentes, occupées sans doute par des cultures champêtres de diverses espèces. Ensuite, il y eut l'océan, l'Angleterre, l'Irlande, Terre-Neuve ou le Labrador. Dieu que les deux derniers étaient hauts et pierreux, pleins de petites pièce d'eau! On comprend pourquoi les Anglais s'en sont débarrassés pour garder plutôt le Canada!

L'atterrissage à Montréal fut un peu triste. J'avais vu la France, il ne me restait qu'un petit motton au fond de la gorge. Ce n'est pas tous les jours qu'on voit un pays où tant de racines nous attachent, du moins par l'Histoire. Je me souvenais tout à coup que plusieurs Hurons y avaient laissé leur vie, emmenés là-bas contre leur gré par des navigateurs comme Christophe Colomb et d'autres tristes explorateurs qui les exhibaient devant le roi de France.

J'étais décidé, je deviendrais écrivain, ne fusse que pour imaginer ces drames. La littérature devenait tout à coup une énorme passion. Je regrettai ce que je n'avais pas écrit auparavant.

Il me restait à prendre l'autobus pour l'Abitibi après quelques jours à Montréal dans la parenté. C'est ainsi que je revins avec mon oncle Barney Langue-Noire, mineur à Chibougamau depuis quelques années, et qui était allé lui aussi passer quelques jours chez une cousine.

Barney Langue-Noire, c'est toute une histoire qui vaut la peine d'être racontée. Bonne Âme, ma grand-mère, l'avait hébergé pendant une grande partie de son enfance, de cinq à neuf ans. Sa mère, à Barney, s'était tiré dans la tête une balle de vingt-deux sur le seuil de la maison familiale, laissant derrière elle un mari volage et ivrogne, sinon violent, et sept enfants dont l'âge variait de dix mois à quatorze ans.

C'est le genre de drame qui arrive partout même sur la Listuguj, la Ristigouche d'autrefois.

Toujours est-il que Barney Langue-Noire avait bénéficié d'un bon foyer. À neuf ans cependant, une vague tante mi'kmaque arrivée des États-Unis était venue le chercher pour l'amener à Boston, où dès l'âge de treize ans, il s'était trouvé un travail sur un chantier de construction. C'était un garçon vaillant et débrouillard et bientôt, quelques années plus tard, naturellement, il savait grimper sur les poutres métalliques pour les assembler et monter les étages des hauts édifices, profession à laquelle excellent tous les hommes nés amérindiens, prétend-on. Ce travail convenait parfaitement à l'oncle Barney parce qu'il était taciturne et aimait la liberté des grands espaces comme tous les Mi'kmaqs.

L'été, il revenait dans la réserve refaire les liens avec la famille et pêcher le saumon.

Quand je l'ai connu, je n'étais encore qu'un enfant et il allait sur la quarantaine. Il visitait souvent mes grands-parents pour qui il semblait éprouver beaucoup de reconnaissance. C'était toujours un événement de le voir arriver. Basané, grand et large d'épaules, il portait des tatouages sur les bras qui nous laissaient béats d'admiration, car dans mon enfance, un Mi'kmaq tatoué, c'était rare et cela signifiait qu'il avait été visiter des pays lointains. Ses tatouages, qui lui donnaient tant de prestige, n'étaient pas ce qu'il y a de plus original : un aigle aux plumes ébouriffées qui tenait dedans son bec crochu une banderole sur laquelle était écrit « In God we trust », phrase prise sur la cenne des États-Unis. C'était le même reproduction de tatous sur les deux bras. Pourquoi deux aigles absolument pareils ? Il aurait fallu qu'il nous le dise et si nous osions le lui demander, il répondait n'importe quoi.

Donc, il arrivait chaque été et il passait de longues journées chez nous, assis sur la véranda, occupant la seule chaise berçante de la cuisine en buvant force tasses de thé, sa boisson préférée. Il aimait à nous raconter ses exploits sur les hauteurs du dixième étage de quelque building qu'il avait construit avec des milliers d'autres. À l'en croire, il avait boulonné toutes les édifices en hauteur qui se trouvaient à Boston. Ce temps était bien fini, un accident bête lui ayant déformé un talon et l'ayant obligé à changer de boulot. Maintenant il s'était recyclé dans le travail de mineur et il besognait en Abitibi. Il s'occupait d'une machine qui étendait la pierraille montée du sous-sol sur un grand terrain. Il ne se servait pas du pied où le talon manquait. Du moins, on le croyait.

Mon oncle Barney Langue-Noire devait son nom à une particularité : il fumait le cigare. Un Havane généralement, cet immense rouleau de tabac d'une rondeur parfaite fait à la main, qui aurait pu servir de bâton de baseball lors de nos joutes amicales le samedi soir sur le terrain du monastère des capucins.

Il en traînait toujours un dans sa poche et quand il l'allumait, c'était un sauve-qui-peut général, car il avait la mauvaise habitude de fumer ses cigares en entier. Il n'en laissait qu'un petit bout pour ne pas se brûler la bouche. La locomotive à charbon de l'Atlantic Canadian Railway qui traînait ses trente-trois wagons ne pouvait faire plus de fumée que Barney quand il rallumait son cigare au quart ou à moitié consumé. À cette époque, et mes souvenirs sont bons, il y avait des grosses mouches de maison partout. Or, aucune d'entres elles n'osait tournoyer autour de mon oncle lorsqu'il fumait. Les quelques audacieuses qui s'aventuraient par les interstices du moustiquaire déchiré de la porte tombaient raide mortes en passant dans le nuage de fumée émis par notre parent.

Ma grand-mère le disputait parfois, car elle souffrait aussi de la fumée.

— Écoute, Barney. Je ne veux pas me mêler de ce qui ne me regarde pas, mais tu devrais jeter tes vieux cigares quand tu les as utilisés au moins une fois et en prendre un nouveau quand tu décides de boucaner.

Barney Langue-Noire lui jetait un certain regard et un léger sourire plissait la commissure de ses lèvres. J'ai toujours cru qu'il s'amusait de la situation. Il finissait par grommeler :

— Ils sont meilleurs les vieux déjà entamés, Mom. Ils ont plus de goût.

Mon oncle, même lorsqu'il ne fumait pas, n'était pas approchable : son odeur nous causait des nausées insupportables. Mais il n'y avait pas que les Havane. Il avait l'habitude de nous offrir, à nous autres quand nous étions enfants, des réglisses rondes dont lui-même faisait abondamment usage. Ce qui naturellement avait confirmé sa réputation de langue noire. Il les conservait dans une petite boîte de fer blanc qu'il mettait dans la poche droite de sa chemise de grosse flanelle et parfois la chaleur de son corps les faisait coller ensemble. Nous aurions vendu nos père et mère pour un bonbon en forme de pipe de cette sorte de réglisse, car nous les aimions, mais pas ceux de mon oncle Barney qui avaient une atroce odeur de cigare déjà utilisé.

En le regardant par en-dessous dans l'autobus où il n'avait pas le droit de fumer, je me souvins d'un été, l'été de mes onze ans, l'âge de l'inconscience criminelle. Il y avait un mariage dans la mission. C'est dans la maison de Tom Labillois qu'eut lieu la réception après la cérémonie à l'église. Le salon de la maison était immense, si bien qu'une trentaine de personnes pouvaient y prendre place et se sentir à l'aise.

Nous autres, les enfants, nous nous étions empiffrés de toutes sortes de gâteries et nous étions peu agités, le monde des adultes nous fascinant. Une chose nous ennuyait : il fallait supporter le discours sur la grandeur du mariage, sur ses joies et ses obligations par le célébrant invité, le père Envoy, un capucin irlandais de passage. Ce qui fit sourire les jeunes mariés, mais pour nous, la contrainte n'était pas d'essayer de comprendre les sous-entendus des grandes personnes, mais de rester sagement assis, ce qui n'était pas facile. Comble de malheur, nous étions sur nos chaises à deux pas de l'oncle Barney. Et naturellement, il sortit un de ses horribles cigares à demi consumé. Il prit un bon cinq minutes à réussir à l'allumer. Il pensa qu'il l'avait peut-être trop imprégné de vin de cerise ou de cherry-brandy, ce qui le faisait saliver plus que d'habitude, donnant peu de chance au cigare de s'allumer puisque Barney passait sa langue dessus deux ou trois fois avec un plaisir évident. Enfin, il l'alluma péniblement. Il nous entoura bientôt de volutes malodorantes, tout en nous offrant des réglisses. Nous en avons pris une pour ne pas paraître trop impolis, mais déjà que nous étions au bord de la suffocation, le goût des bonbons nous leva le cœur. Nous les avons donc prestement ôtés de nos bouches infectées et nous les avons glissés tout poisseux dans le gosier du chien de la maison qui eut le bon goût de se montrer gourmand en cachette. Il les avalait goulûment, mais il me semble qu'il ne tarda pas à se sentir indisposé. Il se mit à aboyer pour sortir. Une âme charitable lui ouvrit la porte et il s'échappa à la course. Il fut plusieurs jours sans revenir et il se tenait près d'un ruisseau qu'il faillit assécher. À partir de ce jour, il montra une peur panique de l'oncle Barney Langue-Noire.

Le brandy aidant, Barney conta des histoires fort amusantes. Nous les trouvions drôles du moment qu'il n'envoyait pas la fumée opaque de son puant cigare dans notre direction.

— Du temps que nous construisions le Memorial Building à Boston, j'étais en train de bolter deux poutres de fer au dixième étage. J'ai décidé de m'arrêter un peu. Le ciel était noir et je me suis dit que nous aurions un orage électrique avant peu. Normalement, à cause du danger qu'il y avait du tonnerre sur les hauteurs et sur le fer, il aurait fallu, selon les instructions du contremaître, que je descende en bas au plus sacrant, mais j'étais vêtu d'un habit et je chaussais des bottes de caoutchouc. Je me suis donc dit qu'il n'y avait pas de danger à demeurer où j'étais. Je me suis assis, j'ai sorti mon cigare et j'ai cherché une allumette dans ma poche. Je n'en avais plus. J'allais ôter mon cigare de ma bouche quand un éclair l'a frappé et l'a allumé. Je n'avais même pas un poil de sourcil de brûlé, croyez-moi ou croyez-moi pas! Je me demande bien pourquoi il n'y a plus eu d'éclairs dans mon bout.

Les adultes riaient aux éclats en se tapant sur les cuisses. Mais nous les enfants, on trouvait l'incident tout à fait normal et logique, alors nous ne riions pas et nous

nous demandions pourquoi les grands avaient tant de plaisir.

Plus le temps avançait, plus nous suffoquions dans la fumée du cigare qui nous obstruait la vue. Nous larmoyions comme des lamantins.

À un moment donné, n'y tenant plus, malgré que les histoires des adultes nous intéressaient, nous nous sommes échappés avec la permission de nos parents. Aussitôt à l'extérieur, nous avons toussé et larmoyé comme si nous venions d'être atteints par une bombe lacrymogène. Nous étions choqués contre l'oncle qui nous privait d'un des éléments les plus agréables de ce mariage, c'est-à-dire des histoires amusantes où il fallait réfléchir pour comprendre et les trouver drôles.

Nous avons décidé de nous venger de l'oncle indélicat. Notre plan fut diabolique. Nous sommes allés au magasin de l'Atlantic Trading. Dans ce magasin, on trouvait de tout. Lorsque nous avons demandé un cigare, le jeune commis, Jos Olcamp, nous a regardés curieusement :

— Hey, les petits sauvages! C'est pas pour vous toujours? Ça rend malade, ces affaires-là. C'est pour vos parents?

Nous avons juré que oui. Nous avons ensuite cherché certaines petites choses dont nous avions besoin. Puis nos emplettes faites, nous sommes sortis du magasin à la course alors que le commis criait, menaçant:

— Faites attention de mettre le feu, damnés petits sauvages!

Nous sommes retournés à la noce. L'atmosphère de la maison était devenue intolérable à cause du cigare de l'oncle Barney. Heureusement, il l'avait éteint depuis un bout de temps. Nous nous sommes approchés doucement de lui et c'est moi qui lui ai dit d'une voix aussi mielleuse que possible:

— Mon oncle, nous avons été vous acheter un nouveau cigare…

Il finit son verre de cherry-brandy et nous remercia:

— C'est-tu fin rien qu'un peu! Les enfants, ça pense à tout. Ha! mes petits sacrementaux, moi qui pensais que vous ne m'aimiez pas.

Il soupesa la cigare et lut la marque:

— C'est une bonne marque, un Monte-Christo. Ça coûte cher en bibitte, cette marque-là ! Un Monte-Christo !

Il l'a soupesé encore, l'a senti, l'a humecté sous nos regards intéressés et hypocrites. Presque religieusement, il a sorti une allumette de bois de sa poche. Il l'a allumé. Ça lui a pris un certain temps, au moins jusqu'à ce que l'allumette lui brûle presque les bouts des doigts et malgré qu'il tirait fort sur le cigare à en virer au rouge. Il nous a fait remarquer en même temps :

— C'est la première fois que j'allume cette marque de cigare et il me semble qu'il a un drôle de goût et il tire en maudit ! On dirait qu'il n'y a pas assez d'air qui passe par le trou.

Finalement, il a fini par l'allumer et s'est mis à le fumer. Les épaisses volutes ont monté jusqu'au plafond et la fumée amère du tabac cubain n'a pas tardé à remplir la pièce.

Oncle Barney Langue-Noire avait bien tiré ses trois ou quatre bouffées lorsqu'un incident incroyable se produisit.

Un bruit fort et soudain fit tomber tous les assistants en bas de leur chaise; la déflagration fut telle qu'elle ouvrit brutalement la porte moustiquaire d'un seul coup tandis qu'une fumée noire et âcre envahissait toute la pièce, assombrissant tout.

L'oncle Barney, aveuglé, les joues brûlées, les lèvres à vif, chercha à tâtons la cruche de vin qu'il finit par trouver entre les jambes des mariés. Il porta le goulot à ses lèvres et but à peu près l'équivalent de dix verres avec de petits hurlements brefs qui nous parurent provoqués par la souffrance.

Pendant ce temps, grand-père Le Priant, dont les épaules tressautaient tellement il cherchait à contenir une folle envie de rire, lança à toute l'assemblée:

— Pauvre Barney! Tu comprends bien que ces cigares passent des mois de voyage dans leur petite boîte de bois au fond des cales des goélettes venues des pays chauds jusqu'au quai de la Ristigouche. Ils deviennent secs comme des pétards et éclatent à la moindre étincelle!

Et comme il savait que l'oncle Barney avait de la difficulté à voir parce que la suie le faisait encore larmoyer, grand-père se tourna vers nous et nous adressa un sourire malicieux, mais sévère, car il savait, lui, que nous aurions pu causer une catastrophe. Nous avions déjà assez fait de mal comme cela.

En pensant à ce mauvais coup à mon retour en Abitibi, je riais en moi-même de ce souvenir. J'en profitai pour offrir à souper à mon oncle quand l'autobus s'arrêta à Val-d'Or pour me faire pardonner, même s'il ignorait tout de notre tour pendable. Je revoyais le visage de l'oncle. Et je trouvai qu'on avait été cruels, d'une cruauté enfantine qui n'a pas de limites. Et je décidai cette même soirée d'écrire l'histoire de mon oncle Barney Langue-Noire pendant que celui-ci s'en retournait à Chibougamau en autobus. Une fois là, il continuerait son travail de conducteur de machine. En réalité, il ne travaillait pas sous terre à cause de son accident au talon. Dans une tour chauffée, montée sur roue, il voyait à ce que les tracteurs égalisent les débris (moque) sortis du fond de la terre et en fassent un grand champ aux abords de la mine.

Le lendemain, en enseignant, je fus de bonne humeur, du moins mes élèves le prétendirent… Ils ne se doutaient pas que j'avais passé une partie de la nuit à écrire cette histoire amusante.

Écrivain, j'en étais un, mes écrits l'avaient dorénavant prouvé. Je savais que j'avais atteint le monde de la littérature et que je pouvais en être fier. C'est pourquoi j'avais déjà en tête l'idée d'un roman.

Table des matières

Cet ouvrage, composé en Garamond 13/16,
a été achevé d'imprimer à Boucherville,
sur les presses de Marc Veilleux imprimeur,
en février deux mille cinq.